D0313285

Les mystères de Paddington Street

La bibliothèque Bleue

Frédéric Bessat

Roman

Dépôt légal janvier 2014
ISBN : 978-2-35962-570-7
Collection Atlantéïs
ISSN : 2265-2758

Editions Ex Aequo
6 rue des Sybilles
88370 Plombières les bains

www.editions-exaequo.fr

Dans la même collection

L'homme qui écoutait la mer - Denis Soubieux - 2013
Nuisibles - Philippe Boizart - 2013
Le Labyrinthe de Darwin - Thierry Dufrenne - 2013
Hantise - Virginie Lauby - 2013

« Ce qui est détestable dans la logique c'est qu'elle donne l'illusion de comprendre »
Spencer Byron Westwood

I

Au-dessus des toits assombris de fumées âcres, une guirlande de nuages bas s'étirait de tout son long comme un immense serpent à l'agonie. Londres, en cette fin d'après-midi, si triste et si humide, vibrait encore de mille renâclements de chevaux et de cris étouffés.

Sur les boulevards où des employés du gaz commençaient à rallumer les lampadaires, des halos ténébreux faisaient danser sur les trottoirs les premières ombres de la soirée. Des cabs, des centaines de cabs allaient et venaient en tout sens tandis que les fouets et les hurlements des cochers égrenaient de loin en loin les claquements des sabots des chevaux au trot.

Du 14 Paddington Street, un homme de taille imposante et d'une allure fort élégante bondit sur le trottoir et héla un cab qui filait en direction de Hanover Square. Malgré la pluie fine qui ne cessait de tomber, le cocher aperçut le parapluie tendu vers l'obscurité du ciel. Un hennissement sauvage déchira le brouhaha lorsque le cocher tira de toutes ses forces sur les rênes pour immobiliser son cab le long du trottoir. En un éclair, l'homme s'engouffra dans le fiacre et frappa de son parapluie la banquette en criant :

– Savoy Hotel, vite cocher !

Le fouet claqua avec violence. La pluie tombait désormais plus dru, plus froide, plus mordante. Les flaques d'eau parsemaient les boulevards, mais les chevaux les ignoraient dans leur folle course effrénée. Les reflets abricot des becs de gaz nappaient les trottoirs désertés par les derniers retardataires.

Lorsque le fiacre s'immobilisa au pied du Savoy, l'homme lança trois shillings au cocher et monta les neuf marches tapissées de rouge avec l'agilité d'un fauve sur les traces de sa proie.

L'homme confia son chapeau de Glingarry et sa cape sombre au chasseur posté à l'entrée et lui demanda d'un regard félin :

— Tenez, Walter. Il est là ?

Walter était un grand gaillard qui venait tout droit de Snellaby Hall dans le Staffordshire et comme tous ses congénères, il cultivait un humour très caractéristique qui lui avait valu d'être affecté à la porte du Savoy. Quelque temps auparavant, il avait travaillé comme garçon de cuisine au Grosvenor Hotel et s'était fait renvoyer au bout de deux jours pour avoir été surpris en train de discuter très sérieusement avec une dinde farcie qui l'observait de son œil froid à demi-ouvert. Il n'avait pas été épargné par la sévérité du Maître d'hôtel, tout comme la dinde, d'ailleurs.

— Il m'a dit de vous dire qu'il n'était pas là, reprit le chasseur avec un air de petit garçon qui vient de mettre la main sur un pot de marmelade.

— Parfait, Walter. Si j'avais eu un shilling, je vous l'aurais donné.

— Merci, Monsieur, c'est très aimable à vous.

— Je vous en prie, ce n'est rien, Walter.

Puis l'homme se précipita dans le grand vestibule où un groupe de quinquagénaires se saluaient en lustrant leurs favoris grisonnants. L'homme passa devant eux discrètement et monta au deuxième étage.

Bien que l'épaisseur de la moquette cuivrée ait déjà fait le tour de Londres, la hardiesse de notre homme parvenait à faire grincer les superbes lattes de châtaigniers. Dans la montée des escaliers, le treillis géométrique des papiers peints au caractère mauresque dominait les murs. Des tableaux encadrés d'or fin, un peu surannés, représentaient des images de bricks au mouillage et des fantassins en bataillon. À chaque palier, des encadrements monumentaux portaient en triomphe des ancêtres au front relevé dont le regard rude exprimait d'héroïques présages. Sur le seuil du premier étage, une tête de verrat bouche ouverte vous souhaitait la bienvenue, mais ce soir-là, notre homme ne lui jeta pas même un regard.

Arrivé au deuxième étage, sans même reprendre son souffle, il poussa précipitamment la porte du salon Mauve. Cette manière un peu cavalière n'était pas dans son habitude, mais visiblement, il avait la tête ailleurs.

Devant lui, allongé sur un sofa de maroquin grenat, légèrement patiné aux extrémités, un homme lisait tranquillement un livre relié de cuir rouge vif.

— Ah, Spencer ! dit l'homme encore tout essoufflé, vous êtes là ! Je vous ai cherché partout. Je suis même passé à Piccadilly, chez Lane !

Imperturbable, Spencer tira une bouffée de la cigarette qu'il tenait étrangement entre son majeur et son annulaire. La pièce qui était déjà envahie de volutes bleutées par son Bradley, s'embruma encore un peu plus.

— Très cher Harry, vous avez l'air très essoufflé, dit Spencer, je parie que vous venez tout droit de Paddington Street !

Harry et Spencer habitaient au rez-de-chaussée du 14 Paddington Street où ils partageaient depuis quelques années des appartements dont les portes d'entrée se faisaient face. Ils pouvaient ainsi résister plus aisément aux tentatives de *vol* de leurs créanciers qui représentaient, en ce début d'année 1891, une bonne partie des prêteurs patentés de Londres. Assurément, si les supporters du Tigers' Cricket Club avaient eu dans leur rang des membres aussi motivés que leurs usuriers, ils se seraient facilement qualifiés pour la Cup Final. Mais par chance, Harry et Spencer avaient contracté une emphytéose pendant leur jeunesse et ne pouvaient plus être expulsés.

— Comment avez-vous deviné ? s'étonna Harry.

En tournant lentement une page de son livre, Spencer poursuivit :

— Le chasseur ne vous a-t-il pas dit que je n'étais pas là ?

— Si, bien sûr, c'est pour cela que je suis monté si vite, ajouta Harry en prenant une cigarette dans un étui en argent posé sur la cheminée.

— Dites-moi ce qui vous a mis dans un état pareil, reprit Spencer les yeux rivés sur les pages de son livre.

— Eh bien, voilà, dit-il en reprenant sa respiration, en début d'après-midi j'ai rencontré Lady Oxblow sur le boulevard, vous savez Spencer, elle est vraiment méconnaissable !

— Sacré flatteur ! Mais je comprends votre désappointement, Lady Oxblow est rarement méconnaissable, surtout sur le boulevard. À votre avis est-ce un mauvais présage pour la soirée ?

La froideur avec laquelle Spencer prononça ces mots étonna Harry, mais il répondit comme s'il n'avait rien remarqué.

— Détrompez-vous, vous ne savez pas que son mari le vieux Comte Oxblow s'est éteint la nuit dernière au Saint John's Hospital à la suite d'une longue agonie !

— Il a eu tort, reprit Spencer visiblement troublé, quand un grand brûlé succombe à ses blessures on ne devrait jamais dire qu'il s'est éteint.

Il y eut un silence. Court. Mais chargé de réflexion, car Harry ne s'attendait pas à autant de sarcasme de la part de Spencer qui ajouta aussitôt :

— Je reconnais là notre bon vieux Lord Oxblow, toujours à faire des manières. Face à la mort, je suis sûr que l'agonie est de nos jours la façon la plus raffinée de faire des manières. Vous voyez, très cher Harry, il a fini par avoir raison, il a réussi à mourir ; les pessimistes finissent toujours par avoir raison, c'est là leur grande faiblesse.

— C'est vrai, Spencer, à la différence de nous qui avons souvent tort. C'est là notre très grande supériorité !

— Précisément, Harry ! C'est le chemin qui importe, le chemin, ne l'oubliez pas, ne l'oubliez jamais !

Spencer avait retrouvé de son assurance même si son attitude cachait encore un trouble. Il feuilleta avec nervosité les pages de son livre puis, lorsqu'il trouva ce qu'il cherchait, il tira une grosse bouffée sur sa cigarette et fit trois ronds de fumée qu'il parvint à enfiler les uns dans les autres avec une habileté prodigieuse. Cette prouesse lui avait valu une solide réputation au Savoy Hotel qu'il avait dû partager avec le doyen de la Faculté de droit d'Oxford qui était resté sans respirer trois minutes et onze secondes avec un petit pois dans chaque narine.

Harry resta circonspect. Soudain, Spencer, prisonnier dans les tourbillons de sa concentration, posa son livre sur ses genoux et regarda Harry droit dans les yeux :

— Vous avez choisi la peinture et l'écriture, lui dit-il. Moi j'ai choisi la musique, mais j'aimerais tant écrire un joli roman ! Un roman qui ne reste pas lettre morte. Lord Oxblow, quel sens a-t-il donné à sa vie ? Il n'a été généreux que pour lui-même, il n'a jamais su ce qu'altruisme voulait dire. Et pour ma part, je trouve que l'altruisme est une immense qualité, surtout chez les autres. Et cette fin ! Pensez Harry que cette agonie de plusieurs jours est vraiment indécente, cette manie d'attirer l'attention des gens est sordide, surtout quand on n'est pas au mieux de sa forme. Si encore il avait été drôle, mais il ne m'a pas fait rire du tout. Si… peut-être deux ou trois fois. C'est comme son infarctus de l'année dernière, vous vous souvenez, Harry ?

— Bien sûr, je crois me souvenir qu'il ramassait des champignons vénéneux dans les sous-bois de Nailsea, il voulait nous les offrir si je me souviens bien.

— Oui, c'est exact, eh bien, il a fait son infarctus tout seul, sans personne. Vous n'allez pas me dire qu'il ne manque pas de savoir-vivre. Quand on a un peu d'éducation, on devrait toujours faire partager les moments forts de sa vie. La destinée de Lord Oxblow est un non-sens et sa mort sans intérêt. Il a toujours voulu s'enrichir, tout garder pour lui, alors que nous aurions tant aimé qu'il fasse le contraire.

Spencer avait bien pesé ses mots, il semblait satisfait et pour le prouver, il tira à nouveau une formidable bouffée sur sa cigarette et noya le salon dans un immense nuage aux parfums balsamiques. Tout en parlant, il semblait profondément captivé par la lecture de son livre qu'il posait, reposait, reprenait, tournant une page puis une autre, revenant en arrière avec une excitation troublante. Cette attitude étrange ne cessait d'intriguer Harry.

— Spencer ! Pourriez-vous me dire quel roman si captivant vous…

Mais à cet instant précis, la porte du salon Mauve, très haute et très étroite, s'ouvrit lentement dans un petit grincement aigu. Harry tourna la tête en direction de la porte alors que Spencer ne détachait pas son livre du regard.

II

Une femme d'une grande tenue, droite comme la justice victorienne, mais les reins aussi souples que la morale française, s'avança lentement, sans dire un mot. Au cœur de son visage d'une étrange beauté, un regard d'émeraude masquait à peine une profondeur désarmante. Elle avait passé l'âge des premières amours, mais pas encore celui des dernières conquêtes.

Harry, ébloui pas tant de beauté ne fit qu'un pas. Spencer reposa son livre sur le guéridon avec une infinie délicatesse puis, admirant silencieusement la robe de soie noire de jais, il se leva avec respect. Lady Oxblow n'avait pas lésiné sur la couleur, du noir, rien que du noir ; il fallait être à la hauteur du deuil. Une guimpe n'aurait pas été de trop, car elle avait malgré tout fait l'économie d'un peu de tissu, surtout dans les parties hautes, ce qui ne favorisait pas la retenue des hommes qu'elle croisait. Sur le palier, deux ou trois jeunes hommes, passablement excités par la vue de cette vamp nocturne, auraient bien proposé une épaule compatissante, en espérant obtenir beaucoup plus. Mais ce soir-là, Lady Oxblow était venue voir ses amis pour un peu de réconfort. Spencer s'approcha de Lady Oxblow pour lui prendre tendrement la main.

— Chère Lady Oxblow, je... Harry vient de m'apprendre la terrible nouvelle.

— C'est horrible n'est-ce pas ! murmura-t-elle. Je savais qu'à cette heure-ci vous seriez au Savoy, je suis désolée de vous déranger, mais j'ai besoin que l'on me parle un peu.

Ces mots pesaient sur sa conscience avec nostalgie. Elle s'approcha du grand miroir de la cheminée pour réajuster son décolleté afin de se donner un peu d'air, car la chaleur de l'âtre se répandait langoureusement dans toute la pièce.

— Je vous comprends, Lady Oxblow, soupira Spencer, votre peine doit être incommensurable !

— Que vais-je devenir maintenant ? Je suis sûre de vieillir de dix ans en quelques jours. Je vais être obligée de dire la vérité sur mon âge, c'est horrible. Vous, les hommes, vous ne changez jamais, mais une femme, c'est différent !

Harry prit son meilleur air navré et ajouta en poussant un petit soupir de lassitude :

— C'est vrai, les femmes changent tout le temps !

— Rassurez-vous, Lady Oxblow, reprit Spencer, nous les hommes on ne change jamais vraiment...sauf que passé la quarantaine, on garde toute la journée sa tête de sept heures moins le quart.

— Justement, je ne sais pas si c'est un encouragement, il est sept heures moins le quart depuis si longtemps, aujourd'hui ! Quelle tragédie ! Quelle tragédie ! répéta-t-elle.

— Vous n'êtes pas le genre de femme à avoir la quarantaine ! dit Spencer en s'inclinant légèrement.

— Vous me rassurez, dit-elle un sourire coquin aux lèvres, puis son regard s'échoua sur le guéridon sur lequel Spencer avait posé son livre.

— Quelle belle histoire lisez-vous en ce moment, Spencer ?

Le visage de Spencer se brisa. Il se saisit du livre avec beaucoup de maladresse et répondit en s'efforçant de ne donner aucune importance à ses mots :

— Oh ! Une histoire qui s'annonce très étrange ! Puis il changea délibérément de sujet : le temps efface l'esthétique, mais jamais la beauté, Lady Oxblow, celle qui est sincère, celle qui vient du cœur, celle que nous traquons dans une mélodie, une couleur, un mot et même un sourire.

— C'est bien joli, Spencer, mais qui s'intéresse au cœur des femmes aujourd'hui ? À notre époque les femmes ont plus besoin de montrer leurs atouts que leur cœur pour exister dans la bonne société, dit-elle en posant sa main sur le pendentif en or qui éclairait sa poitrine.

— Chère Lady Oxblow, reprit Spencer, lorsque l'on montre ses atouts, on les perd toujours. Faites comme si vous en aviez, mais ne les montrez surtout pas. L'idéal, bien sûr, c'est de ne pas en avoir du tout.

— Par exemple, reprit Harry qui commençait à taquiner la grosse bûche de l'âtre, je déteste ces femmes qui exhibent leur décolleté pour briller.

— Que dirait-on si j'exposais ma cervelle ! répliqua Spencer.

— Pouah ! Ne dites pas des horreurs comme ça, s'esclaffa Harry, vous allez me dégoûter. C'est comme imaginer un cul-de-jatte avec des jambes ! Quelle horreur !

— Vous avez sans doute raison dit-elle en vérifiant la courbure de son dos dans le miroir, si nous parlions maintenant un peu de vous Spencer, de votre destinée ?

— Vous avez raison, j'ai toujours été un excellent sujet de conversation.

Spencer profita de cette réplique qui avait toujours son petit succès pour placer le livre dans son dos. Il continua sur le même ton :

— De nos jours, les grands esprits n'ont d'autres mots que ceux de la logique et de la science, car ils ont oublié l'essentiel : la beauté. Lisez les journaux de cette semaine ! C'est édifiant ! La logique est petite et perverse, car elle donne toujours l'illusion de comprendre alors qu'elle ne prouve que la réalité. Les grands intellectuels ne passent-ils pas toute leur vie à retrouver par la théorie ce que les imbéciles font tous les jours ? Comme si l'humanité avait besoin de prouver la réalité ! Alors que comprendre, n'est-ce pas rechercher, s'approcher, effleurer, ressentir, s'émouvoir, pour enfin devenir un homme ? Cette quête mystique est un art qui nous rapproche de la beauté. Le vrai mystère du bonheur est dans le chemin qui conduit à la beauté, ce jardin merveilleux où nous aimerions vivre pour toujours et qui existe peut-être bien…!

Tout en piétinant les oreilles de l'éléphant du Maharaja, Spencer faisait de grands gestes, brandissant son livre comme un spectre magique. Le majestueux tapis, un superbe Kilim d' Hanbels, représentait une procession de chameaux et de pachydermes parés de voiles lumineux en route vers une destination inconnue. Puis, lorsqu'il eut prononcé ces dernières paroles, son regard perçant se perdit dans les profondeurs bouillonnantes du feu. La main sur le menton, il laissa les mots se diffuser dans le salon. Quelques secondes d'observation auraient suffi pour constater qu'il semblait tourmenté et surtout impatient.

Lady Oxblow et Harry avaient écouté avec émotion le déluge de bon sens. Après un silence prudent, elle fit remarquer :

— Vous êtes sévère, Spencer !

— Je suis toujours sévère avec la laideur, car l'intelligence et la logique sont les formes les plus accomplies de la laideur aujourd'hui. On pardonne trop souvent à la laideur et pas assez à l'imagination et aux rêves, c'est un tort. La laideur est sournoise, sous couvert de se cacher, elle se montre sans scrupule. Il ne faut pas avoir de pitié, il faut la traquer partout et toujours. Ne me resterait-il encore qu'une seule minute à vivre, je la chasserais où qu'elle puisse s'insinuer, voilà le sens de ma vie. Ah ! Si encore la laideur avait un but, un sens, elle aurait au moins une justification ! Je prétends même que la laideur pourrait être perverse pour se faire pardonner. Mais bien souvent elle est froide, pesante et sans âme.

Dans un ultime effort, il s'écria :

– Il faudrait toujours se venger des laids !

Puis il laissa son regard à nouveau se perdre dans l'âtre surchauffé.

Sur ces mots pleins de bon sens, seuls les crépitements de la grosse bûche de châtaignier un peu humide lui répondirent discrètement. Lady Oxblow le regarda, ivre de paroles. La détermination de Spencer avait jeté un trouble, créé une énergie qui imprégnait la pièce tout entière. Même Harry ne bougeait plus, il n'osait plus frotter son allumette pour ne pas briser cet instant étrange où tout semblait désormais figé, suspendu au charisme de Spencer. Étrangement, seules les flammes s'étaient soudainement ravivées, peut-être était-ce l'effet d'un vent coulis ou plus bizarrement la manifestation de forces inexpliquées qui voulaient marquer de leur présence l'estocade de Spencer ?

Le salon Mauve parut vivre. Les murs tapissés de fleurs rosées suggéraient les délicates ondulations de la soie moirée. L'obscurité de la fin de ce jour d'hiver se dissipait peu à peu et laissait apparaître de nouvelles couleurs chamarrées aux dominantes chaudes. Le salon Mauve ne l'était plus vraiment. Sur un pan de mur, un Ghoum aux franges bleu-de-Prusse qui avait été installé à la manière d'une tapisserie d'Aubusson, prenait des tons d'outremer sous l'effet des flammes dorées de la cheminée. Les reflets orangés des braises se diluaient avec le vert mousse du Ghoum formant des ombres portées rose garance. Et plus les flammes s'échappaient de l'âtre plus les tentures bleutées s'imprégnaient de jaune, de vermillon et d'écarlate.

Spencer rêvait, doucement. Des pensées tendres le berçaient comme lorsqu'enfant, son monde à lui, fait de sonates et de concertos, le protégeait avec charme et volupté.

Étrangement, le silence eut pour effet d'éclaircir la pièce. Dans un coin, du côté de la fenêtre qui donnait sur Savoy Street, de lourds rideaux en velours cramoisi ornés de lambrequins de soie à franges caressaient une bibliothèque cérusée. Un lustre aux globes dépolis éclairait timidement ses grandes portes grillagées de tiges martelées qui masquaient à peine trois rayonnages garnis de livres reliés de cuir. Dans la serrure, une clef usée à l'extrémité laissait échapper un éclat de lumière. La partie basse était constituée d'un buffet aux portes pleines décorées de frises simples, et terminée par une fine plinthe moulurée. Les rechampis légèrement vert de Hooker rehaussaient l'ensemble du meuble qui livrait dans le creux des moulures des ocres jaunes, donnant une impression de chrome vieilli. La corniche, d'une taille modeste, se perdait dans les ombres du haut de la pièce alors même que les lumières du lustre, des quatre lampes à huile suspendues de style Argand ainsi que la faible pâleur du jour tamisée par les vitres lui donnaient cette impression générale gris-de-Payne qui la rendait très discrète.

La douce métamorphose des couleurs fit insinuer une atmosphère étrange. Spencer mit à profit le silence pour placer le livre de cuir rouge très précisément à sa place, c'est-à-dire au milieu de la deuxième étagère de la bibliothèque entre deux gros livres verts anglais. Il attendrait un peu pour le relire. Il en conservait un deuxième exemplaire dans sa bibliothèque bleue de son bureau. Il referma méticuleusement les portes grillagées et alla s'installer dans le sofa tout auréolé de l'atmosphère chaleureuse et raffinée de cette fin d'après-midi. Harry et Lady Oxblow le suivirent du regard.

Spencer réajusta son col et tira sur les manches de sa chemise en crêpe de lin avant de lancer un regard malicieux à la porte du salon.

III

Alors que Spencer fixait en silence la porte du salon, on entendit des pas sur le palier. La porte s'ouvrit avec une légère hésitation que trahit le long grincement des gonds. Pendant quelques secondes, le temps s'arrêta. Sous l'effet d'un courant d'air glacé, des arômes de sous-bois, de mousse et de myrte enveloppèrent le grand salon.

Une silhouette d'homme d'une grande tenue apparut dans l'embrasure de la porte. Aussitôt les flammes léchèrent la grosse poutre de granit rose moucheté de gris et éclairèrent le visage du visiteur. Des favoris épais prolongés de magnifiques moustaches rousses légèrement cambrées aux extrémités tranchaient avec un front d'airain large et profond qui venait s'échouer sur deux sourcils un peu trop touffus. Ce détail très viril témoignait d'une certaine hauteur d'esprit, mais également d'une rigueur sans faille, et les deux grands yeux noirs lumineux achevaient cette impression par une certitude.

— Colonel ! Vous ici ! s'écria Lady Oxblow, quel plaisir !

Le colonel Warst n'était pas un familier du Savoy Hotel et bien qu'il eût reçu l'éducation la plus sévère qui soit au célèbre Collège Militaire de Bristol, il ne cachait plus son inclinaison à partager ses temps libres avec Lady Oxblow.

Spencer et Harry qui l'avaient plusieurs fois entrevu sans vraiment le connaître l'accueillirent avec beaucoup de respect, car ils savaient très bien que lorsque l'on pousse la porte d'un salon d'un prestigieux hôtel avec autant d'attention, on ne peut qu'être un gentleman.

— Entrez, colonel, dit Spencer en lui proposant une main large et ferme, nous vous attendions.

— Bonsoir, Lady Oxblow, bonsoir messieurs, dit le colonel de sa voix grave, je ne savais pas que vous m'attendiez.

Spencer fit un sourire ironique comme seule réponse.

Puis, le colonel s'avança vers le canapé où Lady Oxblow réajustait les plis de sa longue et magnifique robe de soie puis il ajouta : je suis vraiment désolé, pour le Comte. J'espère que vous surmonterez cette épreuve.

Lady Oxblow fit un merveilleux silence, toutefois un peu gêné.

— Et si nous buvions un verre de vieux Porto, nous pourrions parler de...Spencer hésita un peu puis proposa un de ses sujets favoris : les principes, si nous parlions des principes ?

— Excellente idée ! s'écria Harry, je veux dire, le Porto, c'est une vraiment bonne idée !

Spencer lança un regard de reproche à l'adresse de Harry avant d'ajouter :

— J'ai remarqué que les principes vieillissent beaucoup moins bien que le Porto ! vous ne trouvez pas ? Les principes donnent du sens à la bêtise, c'est bien pour cela qu'ils sont utiles ; sinon, ils n'ont aucun intérêt. D'ailleurs, si vous les mettez à la cave pendant quelques années, sans les déranger bien sûr, ils vieillissent très bien aussi. Seulement, il faut avoir le courage et la volonté de ne pas s'en servir. J'ai remarqué que ceux qui utilisent régulièrement leurs principes boivent toujours du mauvais vin. Un bon principe, il faut le faire vieillir, l'observer, en parler, en parler souvent, avec finesse, mais surtout, par-dessus tout, il faut savoir le laisser en paix pendant de longues années sans jamais y toucher. C'est exactement comme un Saint-Émilion Coudert Pelletan ou un Médoc Château Cadet Terrefort. Croyez-moi colonel, la vie récompense toujours ceux qui font de grands efforts.

Le colonel parut perplexe. En voyant Harry mettre quatre petits verres bleutés sur un plateau à côté de la carafe de Porto, Spencer ajouta :

— Dans la vie, il y a ceux qui boivent pour oublier et ceux qui boivent pour se souvenir.

— Il y a aussi ceux qui ne boivent pas, ajouta Harry en servant le Porto.

— C'est très vrai, je n'y avais jamais songé auparavant, vous êtes très observateur Harry, s'empressa de dire Spencer.

— Oh, non ! Dans le cas présent, c'est de la pure imagination.

Harry choisit une bûche d'orme et la posa avec précaution dans l'âtre. Aussitôt, le Kilim, les tentures, les lourds rideaux assombris par la fin du jour prirent à nouveau des couleurs chaudes, du miel pour le Ghoum jusqu'au citron clair pour la bibliothèque. Visiblement, il se passait des choses étranges. Même l'encadrement de la cheminée rehaussé d'un patchwork de carreaux de faïence de Delft aux tons habituellement passés s'éveillait progressivement en chatoiement moucheté. La robe si noire de Lady Oxblow avait saisi du violet dans ses plis et un zeste d'émeraude dans ses reflets ; et plus les flammes dansaient joyeusement, plus le salon Mauve se métamorphosait en subtiles ocres de grenades. Mais quel pouvait bien être ce prodige ?

Le colonel qui parlait peu, mais possédait l'immense qualité d'avoir l'œil aussi vif que le cerveau remarqua cet étrange phénomène, mais il se tut pour ne pas perdre la magie de l'instant. D'abord intrigué, il crut que les reflets provenaient de l'alchimie des parfums suaves mêlés de Porto si enivrant et du bois sec de la cheminée. Bien que chaque objet restât figé, bien posé sur le superbe parquet en pointe de Hongrie, l'œil, en s'y attardant un peu, percevait un très léger fourmillement à peine visible, comme une respiration contenue. Les braises carmin passaient à l'orangé puis à nouveau en rouge sombre sous les forces mystérieuses d'un battement de cœur invisible.

Au milieu de la deuxième étagère, un livre relié de cuir rouge vif émergeait de la pénombre tamisée par les doubles rideaux cramoisis et révélait des inscriptions gravées d'or fin sur sa tranche ciselée.

Les favoris du colonel frémirent, il lui sembla entendre les portes de la bibliothèque gémir, à moins que ce ne fût le soupir de la branche d'orme pleureur à l'agonie dans l'âtre surchauffé. Les lourds rideaux de velours vibrèrent sous l'effet d'un courant d'air. Au gré des rafales de vent, des vagues d'étoffe venaient caresser délicatement les reflets flavescents de la bibliothèque modelant une patine émouvante, une couleur de peau nuancée par les veines du bois. Tout le corps de la bibliothèque s'irriguait de couleurs chaudes, vivantes, jusqu'à la somptueuse corniche où un œil en ellipse avait refusé les innombrables couches de laque.

Alors que les yeux de Spencer pétillaient de bonheur et d'excitation, ceux du colonel et de Lady Oxblow ne cachaient plus leur trouble. Une ombre passa sur leur visage. Harry ne comprenait pas plus, mais l'assurance malicieuse de Spencer le rassurait.

Lady Oxblow s'adressa à Harry tout en parcourant du regard les angles de la pièce désormais noyés par des flots discrets de lumière ensoleillée. Car elle avait perçu, comme le colonel, une présence que bien souvent les femmes ont l'instinct de deviner. Son regard changea, il y eut un trait de lumière, presque félin, mais elle se garda bien d'attirer l'attention sur elle.

Harry comprit que le colonel et Lady Oxblow n'étaient plus du tout à leur aise. D'une voix virile, presque forte, il tenta de réchauffer les esprits :

– Au fait, j'ai lu dans le Daily Telegraph d'hier que de jeunes peintres vont tenir salon dans une quinzaine de jours à la galerie de Lord Bradburn. Cela devrait vous intéresser, Spencer ?

– En effet, reprit aussitôt Spencer qui savourait son Porto.

Sans un mot, le colonel se rapprocha de la cheminée pour se dégourdir un peu les épaules, car la gabardine qu'il avait laissée à l'entrée lui manquait. Harry vit le journal posé sur le guéridon.

– C'est Le Cameleon ?

– Non, c'est le Telegraph, répondit Spencer.

Harry s'en saisit et tourna les pages rapidement pour retrouver l'article sur les peintres. Comme Lady Oxblow connaissait les talents d'artiste de Harry, elle lui demanda tout en jetant un regard furtif autour d'elle :

– Harry, parlez-moi de cette nouvelle École, j'adore les nouveaux peintres, cette façon qu'ils ont de peindre au milieu des champs avec de grands chapeaux et une petite valise. Je suis persuadée qu'ils font l'admiration des gens de campagne.

Harry qui se perdait dans les pages du journal répondit toujours en cherchant l'article :

– Oh ! Je ne les connais que trop peu, mais je sais qu'ils font d'admirables petites toiles. Ils semblent capables de saisir l'âme des choses, des plantes, de la lumière. Tout ce qu'ils font ne ressemble à rien, enfin, presque à rien, et pourtant nous reconnaissons toujours parfaitement leurs paysages ou leurs personnages. On dirait qu'ils ne peignent pas ce qu'ils voient, mais ce qu'ils comprennent.

– Peut-être sont-ils capables de voir un autre monde ? dit Spencer en se plongeant dans le grand canapé.

Le colonel parut très intéressé par la tournure que prenait la conversation. Le Porto avait favorisé ce relâchement, car il eut soudain envie de se confier, comme s'il gardait un secret depuis longtemps.

— Puisque vous parlez de peinture, je dois vous faire une confidence.

Harry se retourna aussitôt, surpris par les propos du colonel, car il savait pertinemment que les confidences sonnent toujours comme une confession et donc, comme de gros mensonges.

— Je l'ai rarement avoué, car dans les garnisons il est préférable de passer pour un inconditionnel de Vauban que de Corot, mais j'ai toujours été un fervent admirateur des peintres contemporains. On croirait qu'ils inventent la réalité.

— C'est bien pour cela qu'ils sont brillants, dit Spencer enthousiaste. La réalité n'est qu'un monde d'horreur et de souffrance, regardez autour de vous, là, juste à l'angle de cette rue, cette vieille femme qui fait l'aumône, n'est-ce pas sinistre ? Je crois qu'il ne faut pas avoir de scrupules, la beauté est une raison d'État. Et s'il fallait sacrifier l'action pour un instant de beauté, je serais le bourreau le plus impitoyable de tous les temps. N'est-ce pas la beauté qui fait de nous des Hommes extraordinaires ? N'est-ce pas la beauté qui stimule en nous les pensées les plus pures, les désirs les plus nobles ?

Spencer se mit à parler d'une voix profonde et souveraine, comme s'il avait voulu lancer un appel solennel. Il continua :

— Puisqu'aujourd'hui est un jour grave, dit-il en se tournant vers Lady Oxblow, je déclare la guerre à la laideur, je veux être et je serai un défenseur acharné de la beauté.

Pris par l'enthousiasme de Spencer, Harry leva les bras et s'écria :

— Moi aussi, je veux être un combattant de la beauté !

— Vous avez raison Spencer, mais alors, la beauté ne serait-elle qu'une invention, un pur produit de notre imagination, un rêve ? suggéra le colonel.

— En quelque sorte, mais un rêve qui pourrait bien devenir plus vrai que Paddington Street ou Piccadilly Circus ! dit-il en faisant un demi-tour très calculé. La beauté sommeille en nous et notre seule mission durant notre courte vie est de la rechercher ne serait-ce que pour l'effleurer, la faire grandir et bien sûr la partager. Car la beauté est source de vie, de bonheur et d'accomplissement alors que la réalité que nous subissons n'est que pesanteur animale et souffrance stupide. Je prétends qu'il y a un autre monde, de cela je suis persuadé et j'en apporterai la preuve, quel que soit le sacrifice.

— Mais enfin, dit timidement le colonel, n'y aurait-il pas une autre vérité. Qui peut définir la vérité ?

— Neuf fois sur douze la vérité est un crime ! protesta Spencer.

— Vous ne prenez quand même pas la défense du mensonge, Spencer ?

— La vérité c'est ce que l'on voit, le mensonge c'est ce que l'on aimerait voir. Pour mentir, il faut imaginer. Vous savez comme moi que lorsque l'on veut être cruel on finit toujours par dire la vérité, et puis on s'adonne au mensonge lorsqu'on apprend la vérité, n'est-ce pas ? Le mensonge et la calomnie ne sont-ils pas les premiers instants de complicité entre deux êtres ? C'est la vérité qui a inventé le mensonge et non l'inverse. Le mensonge est une véritable invention, c'est un rêve conscient, une pure création, ce en quoi il est bien supérieur à la vérité. Il transforme la médiocrité en nullité, la faiblesse en crime, le succès en triomphe et l'échec en tragédie ; il transcende tout. Car je prétends qu'il vaut mieux être sublime dans l'horreur que tout juste bon !

Sur cette fin magistrale, les couleurs du salon résonnèrent en écho. Nul doute, des forces invisibles avaient entendu les paroles de Spencer.

— Je partage votre bon sens, s'exclama Harry sur un ton peu serein. Les gens détestent toujours que l'on dise la vérité dans leur dos. Par exemple, pour plaire aux femmes il faut leur parler, pour les conquérir il faut leur mentir, et pour rompre il suffit de leur dire la vérité !

Harry retrouva enfin l'article qu'il cherchait :

— Tenez ! « ... de jeunes peintres exposeront leurs toiles le 5 février à la Galerie Bradburn, dans le cadre du cycle de conférences sur l'art nouveau, à Bond Street ».

— J'essaierai de faire un petit tour, dit Lady Oxblow en s'approchant de l'âtre, puis elle ajouta sur un ton enjoué : ce Porto me fait tourner la tête, je crois que j'ai pris quelques couleurs !

— Cela vous va très bien, vous êtes parfaite, dit Spencer.

Soudain, Harry se mit à rire aux éclats, toujours le journal grand ouvert devant lui :

– Excellent !

– Qu'y a-t-il, Harry ? Qu'avez-vous à vous tordre ainsi ? Votre foie vous joue-t-il encore des tours ? grommela Spencer.

– Non ! Écoutez ! Encore un fait divers comme vous aimez, Spencer : « dans la nuit de jeudi à vendredi, un énergumène accompagné d'un petit chien particulièrement teigneux, a été surpris par deux agents de police en train de divaguer dans une des galeries qu'empruntent quotidiennement les égoutiers. Si le chien répondait semble-t-il au surnom de Littlefield, son maître était dans un état d'ébriété bien trop avancé pour répondre à son nom ni à son surnom, d'ailleurs. Il a cependant pu déclarer avoir vu des toiles de Maître entreposées dans une sorte de cour souterraine au milieu de jardins ».

À cet instant, Lady Oxblow et le colonel qui n'avaient écouté que d'une oreille la lecture de l'article croisèrent instantanément leur regard avec un sentiment de surprise. Les sourcils du colonel se rapprochèrent et ses traits se brisèrent instantanément comme de la porcelaine. Trop occupé à connaître le dénouement de l'affaire, Harry qui n'avait rien observé de particulier continua à lire :

– La police a amené l'homme et son chien au poste pour poursuivre l'interrogatoire.

Malgré toute la précaution que prit le colonel pour cacher son excitation, Harry constata son changement d'attitude. D'ailleurs, avec un air faussement intéressé, le colonel ne perdit pas une seconde :

– Je peux vous emprunter le Telegraph, s'il vous plaît ?

– Avec plaisir, répondit Harry un peu déçu de l'accueil fait à sa lecture. Aussitôt Lady Oxblow fit quelques pas pour se trouver juste derrière l'épaule du colonel, elle tenait à relire l'article du journal, de ses propres yeux.

Harry qui possédait l'immense qualité de ne rien négliger comprit que Lady Oxblow et le colonel venaient de se trahir. Ils devaient en savoir plus sur cette histoire d'égoutiers. Pourquoi un fait divers sans importance pouvait à ce point intriguer un colonel de Sa Majesté ?

Soudain, au milieu des chenets égyptiens, la bûche d'orme se brisa dans un volumineux nuage de cendres incandescentes.

Une myriade de petites lucioles phosphorescentes s'échouèrent sur le tapis et disparurent dans l'obscurité.

Lorsque Spencer voulut finir son verre, ses yeux se posèrent sur la bibliothèque. Elle n'était plus tout à fait sombre, ni gris de Payne, elle luisait, éclaboussée de pétales citron, mais son livre, placé au cœur de la deuxième étagère de la bibliothèque, était resté rouge, d'un rouge terriblement éclatant.

IV

Sans que personne ne s'en aperçût, un homme se tenait immobile devant la porte du salon. Il était d'une très grande taille, fin, très fin, en livrée blanche parfaitement ajustée. Les traits de son visage taillé à la serpe n'exprimaient rien que du vide, ils n'étaient ni cruels ni stupides, comme ceux d'un spectre inerte. Ses yeux visaient le fond du salon, peut-être la fenêtre ou la bibliothèque sans que l'on puisse dire s'ils pouvaient atteindre une limite ou simplement se poser sur un objet. Il y avait assurément une énigme dans son regard que l'on pouvait déceler si on prenait le temps de l'observer. Seule une oreille, légèrement plus développée et un peu plus relevée que l'autre, trahissait un apprentissage difficile du latin, et ce, compte tenu du dimorphisme, dès le plus jeune âge.

À bout de bras, il portait un plateau en argent sur lequel deux lettres identiques avaient été placées avec, sur chacune d'elles, des inscriptions écrites à l'encre bleu outremer. Une main derrière le dos et l'autre gantée de crêpe de soie blanche, il s'avança jusqu'aux franges du tapis. Un pas de plus et il marchait sur la queue de l'éléphant, mais justement, il ne fit pas.

— Permettez-moi de vous déranger, dit-il d'une voix monocorde.

Aussitôt, les yeux de Lady Oxblow, du colonel et de Harry se tournèrent vers lui. Spencer qui se tenait à l'écart alluma une cigarette avec une lenteur curieuse.

— Vous êtes nouveau au Savoy Hotel ? s'enquit Harry sur un ton faussement intéressé.

— Monsieur est très observateur ! répondit Andrew avec fierté, je viens de Snellaby Hall dans le Staffordshire, je ne suis ici que depuis la Saint Patrick. Je travaillais aux cuisines du Grosvenor avant d'être promu au Savoy. C'est Walter qui m'a recommandé pour la place, mais je m'y connais un peu, j'ai longtemps été palefrenier.

— Palefrenier, la Saint Patrick, le Grosvenor, répéta Harry, c'est très intéressant, vraiment ! Pourrions-nous avoir quelques scones et du thé, Earl Grey, s'il vous plaît ?

— Monsieur doit confondre avec un autre gentleman.

— Comment ! ? s'exclama Harry.

— Andrew. Mon nom est Andrew, pas Grey. Ma cousine Betty avait une vieille amie dont la belle fille de la tante s'appelait Gray, nous l'appelions tous GryGry. Mais moi, je m'appelle Andrew.

Heureusement pour Andrew, le silence prit le dessus.

Harry eut dans le regard plus de voltage que le dernier éclair qui frappa la tour de Birmingham. Andrew resta impassible comme un sphinx sans secret, puis il s'adressa à nouveau à Harry d'une voix lancinante :

— Monsieur Spencer Byron Westwood, je suppose ?

Harry fut pris de court.

— Ah ! Désolé, Andrew, répondit Spencer, c'est moi, Andrew, puis il s'avança vers le majordome.

— Permettez, Monsieur, reprit le majordome, mais c'est *moi* Andrew.

— Oui, nous le savons s'exclama Harry très irrité. Nous voyons bien que c'est vous Andrew, nous voulons juste un peu de thé et quelques gâteaux secs et nous vous en serons très reconnaissants, Andrew, insista Harry très agacé.

Andrew ne semblait pas comprendre. En prenant soin d'articuler avec exagération comme s'il s'adressait à un demeuré, Harry ajouta :

— Moi, c'est Harry, et lui, c'est Spencer. Spencer, Harry, Harry, Spencer. Vous voyez, c'est simple. Et ça c'est la cloche, dit-il en la lui montrant ostensiblement.

Le regard d'Andrew s'éclaira soudainement, il venait de comprendre qui était Harry et Spencer. Devant l'attitude étrange du majordome, Harry restait sur ses gardes ; l'expression de son visage indiquait qu'il pouvait à tout moment sombrer dans une crise de delirium tremens. En fait, la première impression qu'on avait de lui se confirmait malheureusement au fil des secondes. Il présentait des signes de débilité ou de tare dont il fallait mieux se méfier.

— Il suffit de sonner la cloche, Monsieur Harry, répondit Andrew.

Harry le regarda d'un air effaré, la cloche dans la main. En comparaison, Walter, le chasseur de l'entrée, faisait bien meilleure figure. Même dans la débilité il doit y avoir des niveaux.

— Mais vous êtes là ! gronda Harry en serrant la cloche dans ses mains pour se défendre si le majordome venait à lui sauter à la gorge.

— Oui, Monsieur Harry, répondit nonchalamment Andrew le plateau toujours posé dignement sur sa main.

— Eh bien, qu'attendez-vous ? dit Harry sur un ton que prennent souvent les infirmiers psychiatriques lorsqu'ils sont tristement seuls devant plusieurs patients enthousiastes.

— Y aurait-il un « Monsieur Byron Westwood » ? demanda Andrew.

— C'est moi, répondit Spencer sans état d'âme.

— Ah ! Ah ! Je savais bien que vous n'étiez pas Andrew, dit-il avec un air très emprunté.

— Pourquoi me demandez-vous ?

— Un courrier pour Monsieur et un courrier pour le colonel Warst, énonça Andrew le menton très haut.

Andrew donna la première enveloppe à Spencer et la seconde au colonel, mais ni l'un ni l'autre ne quittèrent des yeux le très étrange majordome.

— Une invitation pour l'exposition de la Galerie Bradburn ! s'écria le colonel très satisfait de cette nouvelle, regardez Lady Oxblow !

À ces mots, Spencer parut très étonné, presque décontenancé au point de laisser tomber sa cigarette sur la trompe de l'éléphant.

— Vous aussi, demanda Harry, vous avez une invitation ?

Tout en piétinant le museau du chameau, Spencer déchira l'enveloppe sans ménagement. Lorsqu'il découvrit les premiers mots, il releva les yeux qui s'échouèrent dans ceux du colonel. Puis il se dirigea lentement vers le sofa et s'assit pour relire la lettre. Mais il se releva aussitôt pour s'approcher de l'abat-jour dont le plissé généreux produisait plus de lumière que le lustre et toutes les appliques réunis. Après avoir lu et relu sa lettre, il releva la tête en dévisageant une nouvelle fois le colonel.

Le colonel, un peu gêné, s'adressa à Spencer :

— Pas de mauvaise nouvelle, j'espère ?

Spencer ne répondit pas. Il jeta un coup d'œil à la bibliothèque, sans comprendre. Depuis l'instant où il avait ouvert cette enveloppe, Spencer n'était plus lui-même.

— Ne vous inquiétez pas, colonel, ajouta Harry, il adore les mauvaises nouvelles.

— Pour le thé, Monsieur Harry, il faut sonner la cloche, annonça Andrew.

Harry prit la cloche et regarda à l'intérieur pour y découvrir une explication.

— Laissez, mon ami, dit Lady Oxblow, je vais vous montrer comment on sonne pour le thé.

Elle se saisit de la cloche et la secoua avec une amplitude que n'aurait pas désavouée Berlioz dans sa Symphonie Fantastique. Andrew, toujours impassible, énonça la commande :

— Quatre tasses, du Finest Earl Grey fleurs bleues, quelques scones, des cookies, du sucre roux.

— Bien Madame.

Puis il se retira en tenant son petit plateau presque aussi haut que son menton surtout quand il passa devant Harry, médusé.

— Vous êtes incroyable Lady Oxblow ! Vous devriez vous engager dans la Royal Navy. Avec vous, même par une purée de pois à couper au couteau, vous pourriez échanger facilement des messages avec d'autres navires.

— Mon père était amiral au Ministère de la guerre, il m'a appris quantité de choses futiles, il voulait tellement que je lui ressemble !

Quelques instants plus tard, Andrew était de retour avec un magnifique service à fleurs dont la théière lapis-lazuli fumait en orbes irréguliers des vapeurs de bergamote. Les sablés tièdes, qui avaient été disposés en cercle sur une assiette abricotée, exhalaient encore leur parfum subtil de noisette et d'amande.

Spencer ne bougeait plus, toujours pris dans la concentration de sa lecture, les deux mains fermement serrées sur la lettre qu'il lisait et relisait sans cesse.

— Spencer ! demanda Lady Oxblow, que vous arrive-t-il ? Vous avez l'air si troublé. Cette lettre doit être bien explosive pour vous mettre dans un état pareil ?

— Ce n'est pas une déclaration de guerre, n'est-ce pas ? demanda le colonel.

Spencer s'effondra, la tête dans les mains. Il eut juste la force de murmurer :

– Je ne comprends plus rien, c'est mille fois pire ! Il faut que je rentre à Paddington tout de suite, il faut que je rentre, répétait-il hébété, je sens que tout m'échappe !

– Qu'est-ce donc ? s'exclamèrent d'une même voix Lady Oxblow, le colonel, et Harry.

– Une déclaration d'amour ! gémit-il abattu.

– Ah ! Ciel, quelle horreur ! hurla Harry consterné en s'effondrant à son tour sur le sofa.

V

Le lendemain après-midi, Spencer se réveilla avec une terrible migraine. Il ouvrit un œil morne sur les murs de sa chambre, à demi-lambrissés de boiseries au ton miel. Lorsqu'il aperçut les frises de bogwood aux motifs finement ciselés, il n'eut plus de doute, ses rêves s'étaient évanouis, il était bien dans son lit au 14 Paddington Street.

Il avait choisi cet appartement pour son cachet et ses adorables pièces à vivre que n'aurait pas reniées le décorateur Owen Jones. La décoration, sans être trop originale, avait été exécutée avec un goût très artistique.

Des cimaises jusqu'au plafond chevronné de poutres de chêne, une chaux teintée d'ocre clair patinée à la manière irlandaise donnait un aspect un peu passé, mais très chaleureux. Des cadres, accrochés pêle-mêle, ornaient la pièce qui somme toute était de taille assez réduite. Au bout du lit en merisier ciré, une grande cheminée, en marbre noir de Belgique, agrémentée de frises sculptées, de corbeaux et de festons s'ouvrait sur un large foyer illuminé d'un feu sauvage. Dans le fond, on pouvait apercevoir une vieille plaque en fonte polie aux armes des Hastings. Devant l'âtre, un petit Chiraz original, terni par la chaleur, protégeait le vieux parquet en châtaignier des escarbilles.

Lorsque Spencer ouvrit le second œil, les rideaux avaient déjà été tirés ainsi que le voile de taffetas plissé en ruche qui servait de store. Les fenêtres, grandes ouvertes, laissaient entrer un froid vif gorgé du vent du large qui sentait légèrement les embruns de la mer du Nord. Aussitôt Spencer tira le gros édredon jusqu'au nez pour bien se maintenir au chaud et referma les yeux, car la moindre clarté l'aveuglait.

Au grincement de la porte, Spencer garda les yeux fermés et ralentit sa respiration. Il était assurément le gentleman de tout Marylebone à appliquer le mieux la stratégie du scolopendre. Harry, apparut, rasé de frais, dans un magnifique trois-pièces de velours chocolat, un petit sourire à la bouche. Il tenait dans les mains un plateau largement garni de jambon, d'œufs, de bacon et de muffins grillés. La grande tasse de café posée sur une coupelle écrue et rehaussée d'un liséré écarlate exhalait des senteurs tièdes d'arabica corsé.

Le plus discrètement possible, Spencer entrouvrit les yeux pour découvrir le fabuleux petit déjeuner qui s'offrait à lui. Des odeurs appétissantes de beurre chaud mêlées à celles des toasts dorés finissaient d'achever sa nuit agitée.

– Eh bien, Spencer ! claironna Harry de très bonne humeur, vous nous avez fait peur hier soir. J'ai dû vous porter jusque dans votre lit, vous répétiez sans cesse des phrases incompréhensibles, vous vouliez lire je ne sais quoi. Vous vouliez voir un livre… je ne me souviens plus très bien. Si je ne vous connaissais pas depuis si longtemps, je vous aurais pris pour un professeur de mathématiques du Staffordshire. Bah ! Oublions tout ça ! Je vous ai préparé un petit déjeuner comme vous les aimez, mais c'est bien parce que vous êtes mourant. J'allais justement prévenir le Clergyman pour l'extrême onction. Il ne faudrait pas que cela se reproduise trop souvent, on finirait par s'habituer. Sans compter que mourir à moitié peut laisser un sentiment désagréable d'inachevé, ce qui ne vous ressemble pas du tout.

Spencer garda les yeux mi-clos et les narines grandes ouvertes ; quant aux oreilles, elles restèrent fermées. Harry, prodigieusement en forme et plein de vigueur matinale, continua à parler d'une voix forte, presque tonitruante.

– Au fait, vous devriez penser sérieusement à prendre un majordome à votre service ou alors… vous pourriez trouver une adorable épouse aveuglée par l'amour.

Harry savait pertinemment que sa dernière allusion achèverait définitivement son demi-sommeil. Spencer, qui n'avait laissé en position avancée que son nez, poussa un petit gémissement plaintif :

– Ne soyez pas si cruel, Harry. Ah ! Ma tête ! J'ai l'impression que l'on m'a retiré le cerveau, quelle horreur !

– Je me demande si cela ne vous est pas déjà arrivé ?

Spencer parut songeur, puis il murmura :

– En ouvrant un œil ce matin, je…

– Il est deux heures de l'après-midi, Spencer !

– Déjà ! Mais qu'ai-je fait durant toute cette matinée ?

— Vous avez gémi sans interruption depuis l'aube et vous avez sonné trente-sept fois. Je les ai comptées. Regardez, dit-il en montrant son petit carnet ouvert, j'ai fait un trait chaque fois que vous m'avez appelé.

— C'est très gentil de votre part d'avoir pris des notes. Et vous, qu'avez-vous fait ? dit-il en se redressant légèrement.

— Oh, rien de bien intéressant, j'étais en train de préparer un meurtre quand vous m'avez appelé pour la dernière fois. Malheureusement, la victime s'est réveillée à temps.

— Je vous en suis reconnaissant, Harry, merci d'avoir pris de votre temps, je n'aurais pas souhaité quitter ce monde cruel sans vous dire adieu.

— À propos de monde cruel, pourriez-vous me dire, si bien sûr ce n'est pas trop indiscret, ce qui vous a mis dans un tel état hier soir ? Vous ressembliez à un Saint-Hubert à qui on vient de botter l'arrière-train, ajouta-t-il en refermant la fenêtre.

— Ah ! Je me souviens !

— Eh bien, dites-moi, Spencer, qu'y a-t-il ?

— Eh bien, c'est difficile d'en parler, surtout quand on n'a plus de cerveau, il faudrait que je me lève pour aller voir... il faut que j'aille à mon bureau, c'est très important. Ma bibliothèque bleue ! Je veux voir ma bibliothèque bleue ! répéta-t-il.

Le petit bureau dans lequel Spencer rédigeait ses courriers et relisait ses partitions était situé à l'opposé de sa chambre dont la porte, cintrée d'un chambranle un peu prétentieux, s'ouvrait par une vieille poignée en porcelaine noire.

Un petit secrétaire *à la Bourgogne*, garni de tiroirs aveugles et d'écritoires secrets, occupait le centre du bureau. Une lampe assez grande, au pied émaillé surmonté d'un abat-jour ourlé de cannetilles, s'imposait au milieu d'innombrables feuilles volantes posées sur des cahiers entrouverts. Dessous, seul l'angle d'un sous-main festonné d'une frise de lauriers dorés apparaissait timidement. Et si, à première vue, on ne voyait qu'un fouillis de vieux papiers disparates, les rares visiteurs autorisés à pénétrer dans ce temple de la réflexion savaient pertinemment que chaque fiche, chaque document prenaient exactement la place qui lui revenait.

Presque en face, et légèrement à gauche de la fenêtre, Spencer avait installé un meuble de service en marqueterie où il conservait son fameux vermouth et sa Fine.

De l'autre côté, une toute petite bibliothèque laquée d'un bleu de Prusse et grillagée finissait d'agrémenter cette pièce qui affirmait son caractère tout aussi mélancolique que chaleureux. Spencer considérait sa bibliothèque bleue comme son coffre-fort, plus précieuse que tout le stock d'or de la Capital and Counties Bank et Dieu sait combien de tonnes d'or ils avaient amassées depuis l'exploitation des mines de Kalgoorlie.

Spencer prenait toujours bien soin de la fermer à clé. Ce rituel, en apparence sans intérêt, lui permettait d'ouvrir ses portes avec solennité, attitude qu'il considérait comme une marque d'honneur et de respect à la hauteur des merveilles qu'elle conservait. Et bien que personne ne sût jamais où la clé fut cachée, il eut fallu un simple coup d'épaule pour briser ses portes, mais ce détail avait dû échapper à Spencer.

Dès qu'il en avait le temps, il parcourait une étude, feuilletait une critique ou un travail achevé depuis longtemps pour le plaisir de s'imprégner de l'odeur suave des vieux livres mêlée à celle du bois gorgé de cire. Il se tenait généralement debout, légèrement adossé à sa bibliothèque bleue, le coude posé sur l'avancée du meuble bas à laisser son imagination voyager dans son monde merveilleux.

La bibliothèque bleue l'avait suivi depuis les années passées au Trinity College. C'était d'ailleurs un de ses camarades de classe, un certain Bram Stoker, qui la lui avait donnée à contrecœur, après avoir perdu un pari stupide. Une très jolie collégienne qui se prénommait Florence, avait laissé son cœur s'incliner pour Spencer après avoir longtemps hésité entre les deux jeunes garçons. Le perdant avait dû céder en dot le meuble de son choix, et c'est dans ces conditions romanesques que Spencer acquit la petite bibliothèque bleue. L'histoire aurait pu rendre à Bram sa bibliothèque bleue, car peu de temps après, le cœur de la jeune fille fit un demi-tour de plus, mais cette fois, Spencer ne rendit pas la dot. Preuve aussi que les jeunes filles, en faisant tourner plusieurs fois leur cœur dans leur corsage, évitent bien souvent de faire des erreurs.

Ce qui frappait dès que l'on entrait dans le petit bureau, c'était incontestablement la collection de squelettes de serpents que Spencer avait disposés pêle-mêle sur une partie des murs. Un petit vivarium abandonné reposait encore tout près de la cheminée. À l'opposé, une quantité impressionnante de vieux pistolets, de tromblons, d'arquebuses et de mousquetons avaient été savamment accrochés des cimaises jusqu'aux moulures du plafond. Spencer, dans sa prime jeunesse, avait écumé les armuriers de Londres pour les acquérir avec le secret espoir qu'un jour, confronté à des pirates sanguinaires, il pourrait s'en servir pour se défendre.

— Pas de bêtises, Spencer ! dit Harry en posant sa main sur son épaule pour l'empêcher de se lever, prenez votre temps ; au point où nous en sommes !

Spencer se passa la main sur le front en signe de renoncement, puis il ajouta :

— Je vous disais que ce n'est pas facile de parler quand on n'a plus de cerveau. Ne prenez pas votre air de scientifique, vous savez très bien de quoi je parle.

— Moi, je vous trouve parfait. Mais il faudra que vous me disiez ce que vous pensez du salon Mauve et de la bibliothèque. Je crois avoir vu des choses étranges dont je tiens absolument à vous parler.

— Vous avez raison, Harry, il s'y passe des choses étranges qui me dépassent, il faut que j'aille vérifier...

Mais à cet instant, le carillon de la porte d'entrée sonna deux fois.

VI

— Harry, auriez-vous la gentillesse d'aller ouvrir, supplia Spencer en jetant sa tête sur l'oreiller. Vous savez qui peut bien vouloir me rendre visite de si bon matin ?

— Il est quand même deux heures de l'après-midi, Spencer !

— Deux heures de l'après-midi quand on vient juste de se réveiller, c'est quand même très tôt ! Méfiez-vous, Harry, c'est sûrement quelqu'un de malhonnête. N'avouez jamais !

Harry était déjà sorti de la chambre pour aller ouvrir. En passant dans le salon, le souvenir de la veille effleura alors son esprit. Peut-être parce que le salon de Spencer lui rappelait un peu le salon Mauve, il se dirigea vers la porte d'entrée sans se retourner, avec le pressentiment désagréable qu'il faisait une erreur. Puis, il s'exclama à haute voix :

— Il faudrait que vous pensiez sérieusement à prendre un majordome… ah ! Lady Oxblow, entrez, entrez, venez vous réchauffer, il y a un bon feu.

— Bonjour, Harry, je ne vous dérange pas ?

— Non, pas du tout.

— Il est là ? demanda-t-elle avec un magnifique bouquet de lys rouge couché dans ses bras. J'ai pensé qu'une petite visite pourrait lui être agréable, il m'a semblé si abattu hier soir !

— Je suis sûr qu'il va être enchanté, mais il est encore dans son lit, je vais lui dire que vous l'attendez. Il y a cinq minutes il était mourant, mais depuis qu'il a vu le plateau du petit déjeuner il va beaucoup mieux et lorsqu'il vous verra, il sera définitivement ressuscité.

— Flatteur !

— Je le connais trop, c'est tout. Dites-moi, vous êtes toujours en beauté, Lady Oxblow !

— À vrai dire, je m'en doutais un peu, dit-elle sur le ton de la confidence, le noir me va tellement bien ! N'est-ce pas ? On a si peu d'occasions d'en porter, les prétextes manquent souvent.

Cette année je n'ai eu que deux prétextes, un petit du côté de la tante d'une cousine à ma mère et bien sûr, Lord Oxblow. Mais je ne vais pas me plaindre, il faut reconnaître que celui-ci est excellent.

– C'est vrai. Le noir vous va à ravir, il met votre bouquet de lys tellement en valeur. Je trouve que les femmes devraient changer de toilette à chaque bouquet. Et à l'inverse, les hommes devraient changer de femme à chaque bouquet.

– Vous devez avoir raison puisque c'est logique. Alors, dit-elle en enlevant un pétale flétri, que fait-il ce paresseux ? Encore une partition à étudier, je suppose ?

Elle se dirigea vers le tabouret du piano et se pencha pour lire la partition.

– Encore une rhapsodie hongroise de Liszt ! Il va finir par les connaître toutes les dix-neuf, il y en a bien dix-neuf, Harry ?

– J'ai l'impression qu'il y en a deux mille, dit-il sourdement.

– Il travaille sur la neuvième ?

– Malheureusement non, Lady Oxblow, il n'a pas travaillé hier soir, dans l'état où il était ! On aurait dit un hibou qu'on plume vivant.

– C'est exactement ça ! Il ressemblait vraiment à un hibou.

– Un hibou qu'on plume vivant !

– Vous avez dû souffrir, Harry !

– Ne m'en parlez pas. Même en fermant les trois portes, plus celle du palier, j'ai tout entendu. Entre nous Lady Oxblow, dit-il à voix basse, je ne lui ai rien dit, mais je trouve qu'il a vraiment la tête d'un hibou qu'on aurait plumé. Quand vous le verrez, ne faites surtout pas allusion aux hiboux, il serait capable de se reconnaître.

– C'est très gentil de me prévenir, comptez sur moi.

– C'est tout naturel, attendez-moi dans le salon, je vais voir s'il est en état de vous recevoir.

Harry entra à nouveau dans la chambre. Spencer, qui n'arrivait pas à mettre la main sur sa veste d'intérieur, avait déjà enfilé sa merveilleuse robe de chambre en cachemire gris taupe. Une pochette blanche tranchait avec son large col en satin grenat. Il marmottait tout bas :

– Il faut que j'aille voir ma bibliothèque bleue tout de suite, je veux en avoir le cœur net !

— Il y a une femme délicieuse qui vous demande, dit Harry étonné de voir Spencer si pressé.

— Ce n'est pas possible ! s'écria Spencer en s'étouffant avec un morceau de bacon. Vite la barbière ! Là ! Remplissez la vasque, vite le broc, la serviette, allez Harry ! Il faut que je sois présentable.

— Présentable ! murmura Harry tout bas, il faudrait qu'elle soit ornithologue pour apprécier.

Spencer continuait à mâcher son morceau de bacon tout en se rafraîchissant le visage. Il passa sauvagement un peigne en corne de buffle dans ses longs cheveux défaits et jeta un regard dans le petit miroir posé sur la cheminée.

— Quelle horreur ! Quel horrible miroir ! bougonna-t-il.

Mais il était bien trop tard pour changer de tête et surtout pour aller dans son bureau.

Il resserra son cordon de ceinture pour marquer sa taille et sortit de la pièce avec autant de conviction qu'un Spartiate de retour de Thèbes. Les traits tirés par une nuit tourmentée, il entra dans le salon où l'attendait Lady Oxblow.

Un magnifique feu pétillant brûlait dans l'âtre. Au milieu de la pièce, un piano à queue, d'un noir d'ivoire drapé de chatoiements orange et bleus, reposait sur un immense Afsharys multicolore aux dominantes vertes et cobalt, ce qui, pour un tapis de Perse, en faisait une pièce unique. Un tigre reconnaissable par ses points Sarrazin se tenait en embuscade derrière une touffe de joncs. À quelques pouces des franges usées, une bibliothèque en acajou doré, haute jusqu'aux moulures à créneaux du plafond et occupant tout le pan de mur opposé, s'imposait par ses rayonnages garnis de livres brochés de cuir. Deux bergères à oreilles couvertes d'un chintz fleuri de jolies roses faisaient face à un modeste canapé à deux places. L'assise assez large, boutonnée d'un coton satiné, reprenait les imprimés viridins du papier peint et accueillait une profusion de coussins décorés de guirlandes d'oiseaux et de fruits qui s'étalaient en désordre jusqu'aux accoudoirs incurvés.

Le plus exaltant, c'était cette odeur de cire chaude et de vieux papiers qui vous accompagnait avant même que vous ayez pu vous asseoir.

Lady Oxblow, accoudée au piano, tenait son majestueux bouquet devant elle de sorte que Spencer, toujours englué dans ses rêves fantastiques, ne la reconnut pas aussitôt.

– Bonjour, fit-il timidement, sans trop savoir à qui il s'adressait.

Lady Oxblow, fit alors un quart de tour.

– Ah! s'exclama Spencer, c'est vous Lady Oxblow !

Spencer parut rassuré, comme s'il reprenait pied.

– Vous nous avez fait tellement peur hier, s'exclama Lady Oxblow en faisant quelques pas.

– Grand Dieu, avoua-t-il, quelle aventure ! Je ne m'attendais pas à recevoir cette lettre !

– Je vous ai apporté des fleurs, des lys rouges comme vous les aimez, je ne viens pas vous faire une demande en mariage !

– Enfin une parole réconfortante ! Vous avez une manière si élégante de dire de petits mots qui mettent tout de suite en confiance.

– Une femme honnête ne fait jamais de demande en mariage, vous le savez bien Spencer, elle suggère, c'est tout.

Elle réfléchit un instant, puis elle ajouta :

– J'ai suggéré plusieurs fois dans ma vie, mais jamais après une déclaration d'amour, c'est bien trop risqué. Je tiens ce bon conseil de Miss Davenport, une amie d'enfance de ma mère, elle va officiellement sur sa quarantaine.

Harry prit délicatement le bouquet et l'installa sur le piano dans un magnifique vase de Baccarat. Les éclats de rouge que les lys abandonnaient sur les facettes du cristal vinrent s'échouer sur les touches du piano en lueurs orange sanguine.

À cet instant, Harry se retourna discrètement pour observer l'immense bibliothèque dorée qui fermait le mur. Il eut une impression étrange, la même qui l'avait parcouru au salon Mauve. La bibliothèque était d'une incroyable beauté, luisante comme du jaspe avec des réserves de couleurs qu'il n'avait jamais soupçonnées auparavant, mais cette fois-ci, il ne pouvait plus incriminer un excès de Porto. Il ne la reconnaissait plus. Les livres brillaient sur leur tranche comme ceux du salon. Incontestablement des Jules Verne de chez Hetzel scintillaient presque autant qu'un petit Conan Doyle placé au rayonnage inférieur. Des ombres dansaient au plafond à chaque projection de flammes donnant l'illusion que des âmes passaient de livre en livre. Cyrus Smith allait-il prendre le thé avec Watson ? Cette idée merveilleuse traversa l'esprit de Harry qui, au lieu d'en sourire, fut rattrapé par un sentiment profond d'impuissance que l'on ressent parfois devant une vérité.

Juste devant Harry, les touches du piano frémirent. Plus aucune n'était blanche, plus aucune n'était noire.

Soudain, Spencer plongea dans le canapé en prenant sa tête dans les mains. Il était ailleurs, plongé dans des rêves qui le tourmentaient, un regard sur la porte de son bureau. Il hésitait désormais, sa bibliothèque bleue pouvait-elle le trahir ? Le souvenir de la veille revenait en force dans son esprit tout comme cette lettre qui l'accablait. Il se redressa et prononça lentement quelques mots :

— Je savais bien que tout cela se terminerait ainsi. C'était trop beau, j'ai eu la faiblesse d'y croire, murmura-t-il.

— Que dites-vous, Spencer ? demanda Lady Oxblow qui n'avait pas compris.

— Je pense que c'est bien là le drame de l'humanité, les enfants finissent toujours par ressembler à leurs parents. Serais-je donc, comme tous les autres, condamné à payer à crédit les erreurs de mes parents ?

Harry ne tenait plus en place. Les phénomènes étranges qu'il avait constatés au salon Mauve semblaient se reproduire dans le salon de Spencer. Bien sûr dans une moindre mesure, mais cette appréhension qu'il avait eue en allant ouvrir la porte d'entrée ne le lâchait plus. Il sentait parfaitement qu'en plus de Lady Oxblow, de Spencer et de lui, une présence indéfinissable s'affirmait dans les ombres. L'affaire était bien trop importante pour se confier devant Lady Oxblow qui connaissait parfaitement le colonel. Ne s'étaient-ils pas comportés étrangement eux aussi ? Et l'article du Telegraph ? C'était indéniable, le salon Mauve s'était réveillé, il s'était transformé peu à peu, comme s'il avait vibré aux paroles de Spencer. Mais Lady Oxblow était là, il fallait faire bonne figure et surtout ne rien trahir de toutes ces interrogations. Il fit une diversion.

— Il est vraiment dans un état désespéré ! chuchota Harry, que pouvons-nous faire ?

— Je pense qu'il va falloir faire preuve de beaucoup de courage, répondit Lady Oxblow, nous ne devons pas l'abandonner dans cet état... quoiqu'un homme effondré ait infiniment de charme.

— Sincèrement, Lady Oxblow, susurra Harry en regardant Spencer prostré dans le sofa, vous pensez qu'il est capable de commettre un acte désespéré ?

— J'en ai bien peur, de nos jours un mariage est si vite arrivé !

Harry se rapprocha de Spencer et lui parla comme à un enfant :

— Sans vouloir nous immiscer dans le malheur qui vous accable, et si, comme vous le dites souvent : « le malheur des autres relève strictement de la propriété intellectuelle », vous auriez cependant intérêt à nous parler de cette lettre. Vous savez, Lady Oxblow est sans nul doute la personne la plus compétente de Londres pour tout ce qui touche aux caprices des chevaux de courses et quant à moi, sans me vanter, je peux dire que mon grand-oncle, Lord Hartwood, a écrit un essai qui fait aujourd'hui référence sur le comportement des loutres pendant la période nuptiale. Vous voyez Spencer, nous sommes probablement les mieux placés pour déchiffrer une lettre d'amour.

— Vous ne comprenez donc pas ! Si c'est vrai, c'est terrible ! gémit-il profondément abattu, ses yeux toujours tournés vers la porte de son bureau qui cachait à peine sa bibliothèque bleue.

— J'ai passé ma vie à traquer la beauté. Je pensais la surprendre dans une note, une harmonie, un soupir, même fugace. Je me souviens l'avoir vue sur le sourire d'un jeune enfant qui voulait grimper dans un arbre couvert de fleurs, c'était au mois de février, la neige était tombée à gros flocons. Je l'ai vue dans un paysage de Corot, dans les yeux de Sarah un soir d'été au St James Theatre, je l'ai vue dans les yeux du vieil Oldstone quand il est revenu des Chonos et aujourd'hui, j'étais tout près d'elle, mais elle s'est enfuie, elle s'est enfuie répéta-t-il.

Quand il chuchota les paroles qui suivirent, il tenait toujours la lettre devant lui avec respect et émotion, une petite larme coulait sur sa joue.

— J'ai eu parfois le sentiment de l'effleurer, dit-il profondément ému, de m'en approcher et pourtant je n'ai jamais pu m'y perdre, ni pénétrer tout entier dans ce monde d'équilibre, de plénitude et d'amour. Je n'ai qu'un jardin secret, c'est mon dernier carré, il est beau, mais il est petit, les arbres sont en fleurs même en hiver, je voudrais tellement construire ma maison dans mon jardin et j'aimerais tellement que mon jardin soit le vôtre, qu'il n'y ait qu'un jardin toujours fleuri et merveilleux, un jardin merveilleux pour vous tous. Cette lettre m'a bouleversé, car elle a ouvert le petit portillon, sans que je m'y attende.

« *Mon jardin est mon jardin » !* Mais il est le vôtre aussi. Je vais m'échapper de ce monde trop vrai, hideux, petit et pesant, celui du livreur de charbon, des prêteurs, des vautours, car il en existe bien un autre où règnent la sagesse et la beauté, celle du cœur. Je le trouverai, je le jure, je le trouverai...

Lorsque Spencer eut prononcé ces dernières paroles, l'immense bibliothèque se drapa discrètement d'un voile céruléen à l'instant où une ombre furtive s'échappa des profondeurs du piano.

Lady Oxblow et Harry se regardèrent bouche bée, la robe noire ne faisait plus un seul pli, les couleurs s'étaient envolées sur les rayonnages de la bibliothèque dorée.

C'était bien la première fois que Spencer livrait sa solitude et son inquiétude. Sa confession jeta un grand trouble, il avait tout dit.

Un grand frisson traversa le dos de Harry, un frisson chaud et langoureux. Il n'osa plus se retourner. Derrière lui, il entendit un appel, comme un écho aux confidences de son ami. Il lui sembla entendre Pencroff, Phileas Fogg, Samuel Gance, Petite-Lune, Fergusson, Hugo, Mendelssohn, Hobson et Corot. Il se retourna brutalement. La bibliothèque en acajou doré se tenait le long du mur, belle et majestueusement vivante.

VII

La sonnette fut tirée par trois fois sans que personne n'aille ouvrir. La quatrième fois, le carillonnement fut si terrible qu'il réussit à briser le silence des âmes encore sous le choc de la confession de Spencer.

– Je crois que l'on a sonné, murmura Harry toujours dans ses rêves.

– Oui, je crois bien, dit Lady Oxblow sur un ton absent.

– S'il vous plaît, très cher Harry, puis-je vous demander d'aller ouvrir, je n'aurai pas le courage d'affronter la réalité aujourd'hui.

Harry, l'air distrait, sortit du salon en piétinant le bord de l'Afsharys sans se rendre compte qu'il avait posé le pied sur l'extrémité de la queue du tigre du Penjad. Dès qu'il ouvrit la porte d'entrée, des voix lourdes s'engouffrèrent dans le salon avec une violence étrangère aux habitudes de la maison. Elles enveloppèrent le calme et la sérénité du salon.

– Puis-je voir Mr Byron Westwood, Mr Spencer Byron Westwood, s'il vous plaît ? s'écria une voix de stentor.

C'était assurément une voix de femme, mais de femme qui sait ce qu'elle veut, et donc une voix très désagréable.

– C'est que Mr Byron Westwood est très occupé avec une affaire de la plus haute importance puisqu'elle le touche personnellement, répondit calmement Harry.

– Dites-lui que Mrs Kennington est très occupée aujourd'hui par une affaire de la plus haute importance qui le concerne également, dit-elle fermement.

– Écoutez, je vais voir si…

– *Vous n'allez rien voir si…*, je vais voir tout de suite, laissez-moi passer.

Mrs Kennington entra précipitamment. Elle apparut aussitôt sur le seuil du salon, s'avança de quelques pas, puis s'arrêta net, juste à un pouce des oreilles du tigre.

Elle portait un superbe collier de perles naturelles à son cou et une ravissante jeune fille à son bras droit, c'était assurément sa plus jolie parure. Les deux femmes ne prirent pas le soin d'éviter le museau du tigre, ni d'ailleurs la patte arrière gauche qu'elles piétinèrent plusieurs fois au grand dam de Harry.

Lady Oxblow qui tournait le dos à la porte s'étonna d'entendre un tel chahut :

– Que se passe-t-il ? Vous aviez rendez-vous avec le livreur de charbon, Spencer ?

– Non, pas du tout. Je parie que Harry doit encore quelques souverains à quelqu'un qui n'a pas tout à fait perdu la mémoire. Combien de fois lui ai-je dit de n'emprunter qu'auprès des amnésiques poitrinaires et, si possible, petits et aveugles ?

En entendant le craquement des lattes du parquet qui à cet endroit étaient légèrement disjointes, Spencer et Lady Oxblow se retournèrent aussitôt. À leur grande surprise, ils découvrirent une femme élégante, qu'ils ne connaissaient ni l'un ni l'autre, d'un âge incertain, mais armée d'un regard lumineux et d'une allure chevaleresque. Il y avait incontestablement de la volonté dans ses yeux, mais également quelques nuances de crainte. C'était probablement une femme de conviction et de caractère qui savait mettre en avant une noblesse naturelle. Derrière elle, presque cachée sous son épaule, une jeune fille aux yeux aigue-marine apparut timidement.

Harry arriva le troisième en grimaçant :

– Désolé, mais elles…

– Ce n'est rien, Harry, coupa Spencer en dévisageant les deux femmes.

La femme au collier de perles s'adressa à Spencer :

– Je suppose que vous êtes Mr Byron Westwood ?

– Son ombre, répondit-il désabusé.

– Je suis Mrs Kennington. Je suis venue avec ma nièce pour réclamer ce que vous nous avez dérobé. Je vous prie de nous rendre cette lettre.

– Ah ! La lettre !

– Oui ! La lettre que vous avez prise au salon Mauve du Savoy Hotel.

– Je ne l'ai pas volée. J'ai effectivement reçu une lettre…

– Rendez-nous cette lettre.

— Mais cette lettre m'est destinée. C'est Andrew, le majordome de l'hôtel qui me l'a apportée en main propre. Malheureusement. Tenez, ajouta-t-il en lisant les quelques mots écrits sur l'enveloppe qu'il tenait encore dans ses mains : « Au gentleman le plus extraordinaire du monde entier », vous voyez bien, il ne peut pas y avoir de doute !

— Eh bien cette lettre n'a aucun rapport avec vous. Cet « Andrew », que je connais bien, ne sait ni lire ni écrire ni même servir le thé. Cette lettre était adressée à un vrai gentleman. Rendez-moi cette lettre !

Harry et Lady Oxblow parurent troublés. Harry demanda :

— Spencer, vous voulez dire que vous avez reçu une lettre d'amour… d'une inconnue !

— Eh bien, oui, dit-il gêné, je ne m'y attendais pas; sa lettre est d'une telle beauté, une authentique œuvre d'art, un poème si envoûtant !

— Vous êtes amoureux d'une… lettre ! s'écria Lady Oxblow stupéfaite.

— Eh bien, comprenez-moi, dit-il hésitant, si j'ai eu cette lettre dans les mains c'est que le destin l'a voulu ainsi. Je n'aurais jamais dû la recevoir.

Il ne fallait pas être marabout ou grand shaman pour se rendre compte que l'humeur n'était pas à la plaisanterie. Les yeux de Mrs Kennington ne faiblissaient pas. Harry se racla la gorge pour se donner une contenance en faisant une nouvelle fois un pas en arrière afin de quitter honorablement le front. Mrs Kennington s'approcha lentement de Spencer. Tout en le regardant droit dans les yeux, elle lui prit la lettre des mains, puis sans baisser la garde, elle tourna les talons. Au même instant, la sonnette retentit par deux fois.

— S'il vous plaît, Harry, pourriez-vous ouvrir, il ne peut plus rien m'arriver dit-il en se laissant tomber dans le sofa.

— J'y vais de ce pas, Spencer, soupira Harry très heureux d'abandonner définitivement les lieux.

Spencer restait prostré sans pouvoir détacher son regard de la porte de son bureau, car il savait qu'elle pouvait lui cacher une terrible déception. Il n'osait pas affronter sa bibliothèque bleue, sa complice depuis toujours lui inspirait désormais de la crainte.

Le grincement des gonds de la porte d'entrée fut compris comme un signal de cessez-le-feu.

— Ah ! Colonel, entrez, je vous en prie.

— Bonjour, Harry, excusez-moi de vous déranger, Spencer est-il chez lui ?

— Oui, il est là… sans être là, répondit Harry. S'il jouait au Whist je ne donnerais pas cher de sa peau, ajouta-t-il à voix basse.

— Ah bon ! Pas de catastrophe, j'espère ?

— Si, justement, colonel, il est tombé amoureux d'une femme qui n'existe pas. Vous imaginez ! Aimer une femme qui existe, c'est terrible, alors quand elle n'existe pas, ce doit être atroce !

— Bien sûr, je n'y avais jamais songé. Mais l'important c'est qu'elle ait du charme.

— À vrai dire, on ne sait pas. Comme je vous le disais, elle n'existe pas, c'est bien là le drame.

— C'est vraiment une tragédie, je n'ai jamais entendu parler d'une histoire comme celle-là ! Même dans l'Antiquité ! À propos ! J'ai oublié de vous dire, c'est peut-être impoli, mais je me suis permis de venir avec Andrew, le majordome du Savoy.

Andrew apparut sur le côté de la porte, très effacé et l'air contrit.

— C'est une très bonne idée d'être venu avec Andrew, bougonna Harry en se mordant les lèvres.

— J'espère que je ne vous dérange pas Spencer, dit le colonel, je me suis permis de passer, car il m'arrive, enfin… il *nous* arrive quelque chose d'incroyable, un fâcheux malentendu.

Le ton qu'il avait pris n'était assurément pas naturel, il y avait de la gêne teintée d'inquiétude. Aucun doute. Il n'était pas venu par courtoisie, mais bien pour un motif très précis. L'immense silhouette d'Andrew apparut en retrait, le visage très sec. Il s'adressa à Spencer en se tenant la mâchoire :

— Un fâcheux malentendu qui aurait pu avoir des conséquences graves si je ne m'étais rendu compte de rien.

La difficulté qu'il avait à prononcer certains mots était aggravée par un accent typique du sud du Staffordshire qui tenait plus du mérinos aux abois qu'à un quelconque langage humain. Sans être trop sévère, on pouvait raisonnablement estimer que les gémissements d'un blaireau souffreteux coincé dans un piège rouillé seraient infiniment plus mélodieux que les borborygmes lancinants du majordome.

— Bonjour, colonel ! Vous ne me dérangez pas. Mais quel est donc ce malentendu si fâcheux ?

— Comme vous le voyez, Spencer, dit le colonel très pédagogue, je suis venu avec Andrew le majordome du Savoy Hotel.

— Oui, je vois. Ça tombe bien, je prendrai mon thé plus tard.

— Vous vous souvenez hier soir, nous avons reçu du courrier, vous et moi. Eh bien…

À cet instant le colonel reconnut Lady Oxblow, Mrs Kennington et la jeune fille qui se tenaient dans le fond de la pièce.

— Lady Oxblow et Mrs Kennington ! Ah ! Quelle charmante surprise ! dit-il, en déposant un baiser sur la main de Lady Oxblow, je vous avais dit que je passerais voir Spencer, puis il s'adressa à la jeune fille :

— Bonjour, Mademoiselle.

— Vous connaissez Mrs Kennington ? dit Spencer très surpris.

— C'est un plaisir dont j'ai le privilège de profiter depuis longtemps.

— Je vois que vous savez toujours vous entourer d'une compagnie douce et agréable, ajouta-t-il sournoisement.

— Eh bien, voilà, Spencer, continua le colonel, Andrew nous a remis à chacun une lettre. Vous vous souvenez ?

Harry était sur le point de commencer une bourrée nuptiale. Sa pointe du pied droit s'était légèrement relevée tandis que les mains sur les hanches, il s'apprêtait à entamer le célèbre pas de deux. Devant le regard stupéfait de Spencer qui avait deviné la suite, il se ravisa, mais il eut malgré tout le courage de dire :

— Spencer, vous n'avez quand même pas oublié la lettre d'hier soir ?

— Continuez, colonel, fit Spencer les nerfs à vif.

— Eh bien, il y a eu confusion, j'ai votre courrier et vous devez avoir le mien. C'est Andrew qui a confondu les deux lettres, il a presque spontanément voulu m'accompagner pour s'en excuser.

Spencer tira une formidable bouffée sur sa cigarette puis il prononça les mots qui suivirent avec une grande sagesse :

– « il y a dans chaque mot des rêves et des rêves dans chaque mot ».

Harry, qui connaissait pourtant mieux que personne Spencer, ne comprit pas vraiment le sens de ses paroles.

Le crépitement des bûches donna une profondeur au silence qui suivit.

– Vous voulez dire que la lettre que j'ai ouverte ne m'était pas destinée ! balbutia Spencer en regardant Mrs Kennington.

Les dernières paroles furent inaudibles, comme si Spencer refusait de les comprendre, de les admettre. La vérité, une fois de plus, s'épanchait en cruauté monstrueuse, comme toujours. Il ne comprenait plus.

– Mais alors, s'exclama Harry, l'invitation à l'exposition Bradburn était destinée à vous, Spencer, et la lettre à...

– À moi, dit le colonel un peu gêné.

– Et dire que vous avez failli manquer l'exposition à cause d'une petite méprise ! ajouta Lady Oxblow qui voyait dans ce quiproquo une bonne occasion de se divertir.

– J'ai apporté votre courrier, Spencer, dit le colonel, je suppose que vous avez le mien ?

De ses yeux qui ne cessèrent de darder des éclairs de furie, Spencer foudroya Andrew. Mrs Kennington avait raison, elle devait être l'auteur de ces fabuleuses rêveries amoureuses. Spencer n'aurait jamais dû être en possession de la lettre d'amour. Ses yeux se crispèrent sur la porte de son bureau sans pouvoir masquer les pensées étranges qui cheminaient dans son esprit, comme si l'ironie du destin le prenait de court.

Mrs Kennington avait déjà mis la lettre dans son sac sans relever les yeux. Alors qu'elle avait suivi avec beaucoup d'intérêt la discussion, son regard sombre se changea en un sourire détendu, presque chaleureux. Elle caressa légèrement trois ou quatre perles de son collier, par gourmandise, en espérant attirer une dernière fois l'attention sur sa magnifique parure, puis elle ajouta très gentiment en prenant soin d'éviter le regard médusé de Spencer.

– Je suis désolée de vous interrompre, colonel, mais il faut que je passe voir ma sœur qui est souffrante. Elle habite à deux pas de King Edward's Hospital.

– Rien de grave, j'espère ?

– Depuis son mariage, elle a une mauvaise migraine qui ne passe pas, pourtant son mari est médecin !

– Vous savez, dit le colonel, de nos jours les médecins ne soignent bien que les malades en bonne santé, et encore pas toujours ! Ma tante, qui pendant de longues années a souffert de terribles migraines, a été guérie immédiatement après le décès de son mari, qui pourtant n'était pas médecin !

– La mort viendrait à bout de tout, s'exclama Harry, toujours les mains sur ses hanches, même des migraines ! C'est toujours bon à savoir, ajouta-t-il en regardant Andrew.

Mrs Kennington apprécia très modérément la remarque de Harry et le lui fit savoir par un menton très haut et un regard très bas.

– Il faut que je me sauve maintenant, soyez assurés de ma très profonde gratitude et j'espère vous revoir bientôt, colonel, ajouta Mrs Kennington.

Sans se retourner, Mrs Kennington et sa nièce qui n'avait pas encore dit un mot se dirigèrent vers la porte, le dos très droit et les talons très pointus.

– Mrs Kennington ! interpella Spencer, je suis certain que votre visite auprès de votre sœur la réconfortera beaucoup maintenant que vous connaissez le remède.

– Elle est déjà veuve, la science ne peut plus rien pour elle, ajouta-t-elle sur un ton que n'aurait pas désapprouvé Harry.

– Je suis désolé d'avoir…

Spencer n'eut pas le temps de terminer sa phrase, Mrs Kennington l'interrompit très jovialement :

– Oubliez tout ça, Monsieur Byron Westwood.

Les deux femmes sortirent du salon le dos bien raide, en piétinant les yeux du tigre. La porte d'entrée grinça légèrement, suivie d'un vent coulis glacé.

Andrew qui semblait encore très gêné balbutia avec son accent à faire fuir un constable en mission :

– Je suis désolé de ce qui s'est passé, j'ai inversé les deux enveloppes, et pour tout vous dire, quand je vous ai donné votre enveloppe j'ai eu le sentiment de me tromper. Étonnant, non ? Et puis, sur les bons conseils de mon colonel, j'ai tenu à venir réparer mon erreur… voulez-vous du thé ?

– Navré, répondit Harry, nous avons perdu la cloche, mais si vous la retrouvez… elle doit être du côté du petit bureau de Spencer.

Andrew prit cette invitation comme une amnistie qu'il s'empressa de s'accorder en sortant de la pièce sans autre forme de procès. Lorsque Harry vit Andrew entrer dans le bureau de Spencer, il s'écria :

– … et ne jouez pas avec les pistolets, sauf si votre femme a des migraines, ajouta-t-il à voix basse.

Malgré la réplique de Harry, la présence d'Andrew dans le petit bureau de Spencer fit naître un silence désagréable, car jusqu'à lors, seuls ses fidèles amis étaient autorisés à y entrer.

Entre-temps, Spencer, dont le sens de la méprise s'insinuait lentement dans son esprit comme un poison, comprit qu'il aurait dû rendre au colonel la lettre qu'il venait de céder à Mrs Kennington.

– Colonel, dit-il, à vrai dire je n'ai plus votre courrier. Mrs Kennington est venue me le réclamer et devant son insistance, je le lui ai rendu.

– Cette lettre m'était bien destinée, dit le colonel, mais ne vous faites pas de souci, cela n'a pas une grande importance. Ce qui compte, c'est que vous ayez apprécié sa qualité et que vous ayez passé des moments inoubliables.

– Des moments inoubliables, dites-vous !

– Oui, tout cela n'a pas vraiment d'importance.

– Pas d'importance ! bégaya Spencer hébété.

Le colonel haussa les épaules et ses moustaches avec négligence avant de dire :

– Laissez Spencer ! J'imagine fort bien le joyau de littérature que vous avez savouré et je suis heureux qu'il vous ait transporté de bonheur.

– Mais alors, vous devez avoir une chance infinie d'être aimé par une artiste si talentueuse ?

Harry gloussa sourdement. Il pensa à cet instant que si les talents littéraires de Mrs Kennington étaient à la hauteur de son entrée, elle méritait une Victoria Cross, et même peut-être deux.

– En fait, ajouta le colonel un peu perturbé, c'est un peu plus compliqué que cela.

– Plus compliqué !

Le colonel hocha la tête.

– Vous m'étonnez, dit Harry subjugué, une lettre d'amour qui fait chavirer Spencer et qui ne vous fait même pas frissonner !

Il marqua un temps d'arrêt. Mais après avoir eu l'assentiment du regard de Lady Oxblow, il ajouta :

– Écoutez, si nous avions un peu de temps je pourrais vous expliquer... eh bien voilà, depuis fort longtemps et dans la plus grande discrétion, avec l'aide de quelques amis, nous cherchons à découvrir le...

Soudain, une forte détonation ébranla les murs, suivie d'un bruit sourd qui frappa le plancher. Sans aucun doute, une masse inerte était tombée brutalement ; le coup de feu provenait du petit bureau dans lequel Andrew cherchait la cloche. Un silence étrange s'installa, Lady Oxblow, le colonel, Harry et Spencer se regardèrent avec stupeur. Il s'était passé quelque chose de grave dans le petit bureau.

VIII

Alors que la détonation vibrait encore sourdement sur tous les tympans, une odeur de poudre, âcre et capiteuse serpenta dans le grand salon.

– Andrew ! Andrew ! s'écria Harry, vous voulez nous faire mourir de rire ? ...Vous êtes mort, Andrew ?

– Un bon majordome ne meurt jamais avant le dîner, dit Spencer en haussant les épaules.

Devant le silence comme seule réponse, ils se précipitèrent tous dans le petit bureau. Étendu au pied de la bibliothèque bleue, les bras en croix, Andrew tenait dans la main droite un vieux calibre 8 ou 9 qui fumait encore. C'était assurément l'arme favorite des gabiers lorsqu'ils se lançaient à l'abordage, une arme peu précise, mais qui pouvait vous rappeler à Dieu jusqu'à treize demi-yards. Au-delà, le mystère restait entier.

En découvrant le corps inerte, Harry poussa un petit cri d'étonnement :

– Je ne savais pas que la femme d'Andrew avait des migraines !

Spencer se précipita aussitôt vers le corps puis s'agenouilla. Y avait-il encore un espoir ? Aucune trace de sang n'apparaissait, il semblait endormi, parfaitement reposé. Son visage si cadavérique, si anguleux, avait pris des contours plus arrondis et plus colorés.

– Andrew ! Andrew ! répéta Spencer, que s'est-il passé ? Répondez ! Vous n'avez rien ? Je parie qu'il a joué avec mes pistolets.

– Vous êtes sûr qu'il n'a rien ? demanda Lady Oxblow un peu choquée.

– Le problème, dit Harry en se tournant vers elle, c'est qu'avant le coup de feu il avait déjà quelque chose, comme une tare, vous voyez, et donc, s'il n'a rien, c'est déjà très grave. En fait, je crois qu'il est simplement évanoui. J'ai bien envie de lui donner une gifle, ajouta-t-il en levant son bras droit. Dans l'état où il est, une bonne claque lui ferait sûrement beaucoup de bien.

– Attendez, fit le colonel en posant sa main sur le bras de Harry, je crois qu'il reprend ses esprits.

– Il a utilisé mon Perdey Moore et Dickson, marmotta Spencer.

– C'est une arme dangereuse ? demanda Lady Oxblow.

– C'est surtout la plus belle pièce de ma collection, j'espère qu'il ne l'a pas enrayée. Il faut être prudent avec une vieille arme, surtout si elle est chargée. Un rien, et c'est la catastrophe... votre petit bijou est cassé.

– Regardez, fit Harry intéressé, il bouge encore, je crois que c'est le moment propice pour lui donner une bonne claque, peut-être que dans quelques secondes il sera trop tard.

– Attendez ! s'écria Lady Oxblow, je crois qu'il veut nous dire quelque chose.

Andrew ouvrit péniblement un œil. Au travers d'un tout petit sifflement, on pouvait déceler un début de respiration lente, imperceptible. De toute évidence, il s'était raté, ce qui en fait, n'étonna personne ; Andrew n'était pas homme à réussir quoi que ce soit. Par chance, la balle l'avait effleuré, mais le tonnerre de la détonation avait eu raison de sa curiosité. Ne pouvant plus maintenir son œil ouvert, et malgré un effort insoutenable, il rabaissa sa paupière.

– J'ai... trouvé... la... cloche, murmura-t-il très faiblement, elle est...

– Il a trouvé la cloche ! claironna Harry, nous allons pouvoir prendre le thé !

– Elle se trouve sur...

– On ne comprend rien Andrew, faites un effort, je vous en conjure dites-nous où est la cloche, gloussa Harry.

– Elle est sur...

Andrew restait les yeux fermés, la bouche ouverte pour mieux respirer. Il lâcha quelques ânonnements qui s'apparentaient de près aux appels d'une belette en période nuptiale.

– Elle est sur... le secrétaire, balbutia Andrew en faisant un effort prodigieux de prononciation.

– Je l'ai, s'exclama le colonel qui la découvrit derrière une pile de partitions.

– Mes amis, dit solennellement Spencer en se redressant, je vous félicite pour cette mission difficile que vous avez réussie au prix de la vie d'Andrew.

Mais bien que le colonel et Lady Oxblow fussent rassurés de voir Andrew indemne, il restait dans leur attitude et dans l'expression de leur regard un reste de crainte ou d'incertitude que Harry discerna avec beaucoup de justesse. Le colonel se tenait contre la petite bibliothèque bleue et jetait régulièrement des regards furtifs au travers des portes grillagées.

– Andrew, dit Spencer, si vous êtes encore de ce monde et si vous acceptez de ne pas toujours avoir vos gages, je vous prends comme majordome de cette bonne maison.

– Vous pouvez refuser, ajouta aussitôt Harry un peu contrarié.

Il sembla qu'une narine, celle de gauche, vibrât un instant. Puis ce fut une oreille, puis l'autre. Ces frémissements auraient probablement échappé à tout observateur, mais la taille et la forme de ses appendices en faisaient des repères bien trop visibles pour passer inaperçues. Comme ces énormes balises que l'on croise en mer aux abords d'un récif, Andrew les utilisait pour exprimer ses sentiments, ses impressions. Manifestement, les prémices d'une résurrection se confirmèrent, il sortait lentement de sa léthargie dans laquelle le coup de feu l'avait plongé. En effet, après quelques secondes, un œil glauque explora timidement les alentours avec autant d'allant qu'une palourde surprenant un protozoaire bien dodu.

Soudain, la lumière s'éteignit, une langue pâteuse apparut puis disparut plusieurs fois et, à l'instant du ressac, le mourant prit bruyamment une grande gorgée d'air. Nul doute, il s'apprêtait à répondre :

– C'est gentil de me proposer de refuser Monsieur Harry, mais j'accepte volontiers.

Cette logique implacable déplut à Harry, comme toute logique. Mais le majordome nouvellement promu retrouva instantanément des couleurs et une nouvelle joie de vivre. Il s'assit, puis d'un geste d'une grande souplesse, il se retrouva debout sur ses deux pieds. Cette vigueur retrouvée impressionna fortement les invités, excepté Harry qui le fixa d'un regard suspicieux. Il lui traversa l'esprit que peut-être Andrew, fort de ses atouts naturels, se faisait passer pour un demeuré alors qu'en fait, il possédait un esprit d'une grande finesse. Harry avait parfois rencontré des êtres doués, sensibles et même géniaux qui passaient leur vie à faire croire le contraire. Dans ce cas-là, le succès a quand même un goût amer. Harry n'avait jamais réussi à percer ce mystère : comment pouvait-on passer une vie de demeuré tout en étant pétri de qualités ?

— Mes amis, dit Spencer soulagé par la tournure que prenaient les événements, passons dans le salon, nous serons plus à notre aise.

Lorsque Spencer vit qu'Andrew était sorti d'affaire, il jeta un œil discret à sa bibliothèque bleue. Ces craintes étaient bien justifiées, il manquait un livre.

Il ne pouvait pas y avoir de doute, car au centre d'un rayonnage, quelques ouvrages s'étaient affaissés. Il scruta alors son secrétaire, mais à première vue, il ne trouva pas ce qu'il cherchait. Malgré son désarroi, il n'était pas question de se trahir.

— Je vous propose un verre de vermouth à la place du thé, nous l'avons bien mérité ! dit-il en refermant la porte de son bureau sans pouvoir défaire son regard de la bibliothèque bleue.

— Excellente idée ! s'écria Harry, au moins nous n'avons pas besoin de cloche pour le vermouth, n'est-ce pas, Andrew ?

Andrew saliva bruyamment, mais sans renifler.

— Il vient des environs de Bridgewater, dit Spencer, il est tiré sur de la lambrusque de Woking, vous verrez, il a un petit goût sauvage très délicat. Andrew, voudriez-vous faire le service s'il vous plaît, la carafe et les verres sont à leur place dans le petit meuble en marqueterie à côté de la bibliothèque bleue.

Spencer faisait bonne figure, mais le cœur n'y était pas. Des spirales de pensées tournaient et retournaient dans son esprit sans trouver d'issue.

Andrew, pas encore très vaillant, resta seul dans le bureau alors que les invités se dirigèrent vers le salon.

— Spencer, dit Lady Oxblow, votre appartement est vraiment très charmant. Vous devez trouver facilement votre inspiration dans votre petit bureau si mignon, avec toutes ces armes et ces squelettes, je suppose qu'ils doivent vous être très utiles pour susciter la réflexion et la méditation.

— En effet, ils m'aident beaucoup à trouver une grande sérénité sans laquelle je serais incapable de composer. C'est étrange, je ne peux pas travailler ailleurs que dans ce petit bureau. Il faut que je sois tout près de ma bibliothèque bleue, près de mes partitions, sinon je suis perdu.

– Mais en dehors du travail, Spencer, vous jouez parfois pour votre plaisir, ajouta le colonel en caressant le piano.

– Je ne fais rien d'autre dans la vie que pour mon plaisir, je ne badine pas avec la destinée.

Spencer avait prononcé le mot *badine* comme s'il avait eu une pomme de terre chaude dans la bouche, mais il répondait machinalement, il essayait de comprendre pourquoi et surtout comment son livre avait pu disparaître de sa bibliothèque bleue.

– Je ne badine pas, répéta Harry sur le même ton, c'est très joli. Je badine, je ne badine pas. Je crois que je vais essayer de le dire plus souvent, je badine, tu badines, il badine, nous badinons, vous badinez, ils badinent. Il n'aurait pas fallu que je *badinasse* ce soir-là, c'est encore mieux !

Spencer fit mine de ne rien entendre. Comme Andrew ne donnait plus de signes de vie, Harry ajouta :

– J'espère qu'Andrew ne *badinasse* pas dans le bureau avec le vermouth.

Spencer se raidit. La présence d'Andrew dans son bureau fit naître un début de soupçon. En revanche pour Harry, la perte de vermouth occupait beaucoup plus son esprit que toute autre considération. Sans le savoir, il avait deviné. Andrew, très discret, trop discret, avait bien entendu trouvé la carafe de vermouth. Peut-être aussi pour s'assurer qu'il n'avait pas tourné, il en goûta trois grandes gorgées goulûment au goulot. Quelques gouttes perlèrent le long des commissures de ses lèvres et vinrent moucheter sa veste de serge bleue à bouton d'argent ainsi que le haut de son pantalon de wax à carreaux gris clair.

Dans le grand salon, les invités ne se doutaient pas que le majordome pouvait être un aussi fameux goûteur. D'autant plus que le majestueux piano comblait autant les yeux que les esprits.

– Si vous le souhaitez, colonel, proposa Spencer préoccupé, je veux bien exécuter quelques mesures d'une sonate, entre deux rhapsodies de Liszt, je suis dans Mozart actuellement.

Il savait pertinemment que la musique lui donnait toujours le sens des choses et là, pour comprendre, il fallait au moins Mozart.

Andrew apparut un plateau sur une main, d'une lenteur inquiétante et la démarche d'un nouveau-né. Harry le fusilla du regard, car son menton encore un peu humide trahissait sa faiblesse pour le vermouth. Andrew posa le plateau sur le petit guéridon à la vitesse d'un iguane comateux et distribua les quatre verres de vermouth toujours sur le même rythme.

– Andrew ! fit Harry, vous n'avez jamais craint d'être agressé par une limace, au détour d'un bois ?

– Oh, cela n'est jamais encore arrivé au majordome de cette maison si sérieuse, Monsieur Harry, mais si cela arrivait, *il* saurait se défendre.

C'était la première fois qu'il parlait de lui à la troisième personne. Sa nomination récente au poste de titulaire de majordome de cette bonne maison avait dû l'élever, dans son amour propre, à une altitude qui méritât qu'il se dédouble.

Quand Andrew eut terminé de présenter à chacun son verre, Harry lui demanda sournoisement :

– Vous n'en prenez pas ?

Les taches de vermouth sur son costume valaient tous les réquisitoires.

– C'est très gentil à vous, Monsieur Harry, de penser au majordome.

La remarque d'Andrew fit prendre conscience à Spencer qu'il lui avait proposé peut-être un peu trop tôt la place de majordome, mais il était bien trop préoccupé pour régler les questions domestiques. Andrew retourna dans le petit bureau avec le plateau vide, accompagné par quatre paires d'yeux stupéfaits plantés dans son dos.

Le feu s'était un peu assagi, mais la chaleur du tapis de braises s'insinuait dans les moindres recoins du grand salon de sorte qu'un bien-être profond y régnait.

Spencer parcourut les étagères du salon garnies de livres. Ses yeux s'arrêtèrent sur la boîte à cigares qui permettait à la *République de Platon* de tenir debout.

– Harry ! dit Spencer les yeux vagues, proposez des cigares et des cigarettes à nos amis.

Un Trichinopoli éclaira l'œil du colonel puis chahuta ses narines alors que Lady Oxblow préféra une fine américaine.

– J'adore fumer en public, intuitivement je trouve que c'est une marque d'intelligence, fit Lady Oxblow en appuyant sur *public*.

— Vous avez raison, dit Harry. Moi, je fais souvent des choses intelligentes en public, mais personne ne s'en doute.

— Petit cachottier ! murmura Lady Oxblow.

Alors qu'Andrew était resté seul dans le petit bureau, le colonel et Lady Oxblow s'étaient lovés entre les coussins du petit sofa à deux places, en face de l'âtre surchauffé, délaissant les deux bergères fleuries. À leur droite, sur toute la longueur du mur, d'innombrables rangées de livres les observaient, silencieux. Spencer, sans hésiter, choisit un « al fresco » de douze.

Harry, qui connaissait le rituel avant toute exécution d'une sonate de Mozart, perçut une certaine fébrilité dans le comportement de l'artiste. Il était probable que les événements étranges de la veille au soir, et surtout l'affaire de la lettre d'amour, devaient encore occuper son esprit d'autant qu'à aucun moment ils n'avaient pu en parler entre eux.

— Spencer, fit Harry, si vous nous jouiez la treize, en si bémol majeur, le troisième mouvement, vous le jouez si admirablement.

— Allegretto grazioso, répondit Spencer très concentré.

— Exactement, c'est peut-être celle que je préfère, ajouta Harry, elle s'ouvre sur un thème qui me rappelle celui de l'opus XVII de Bach, mais avec des lignes dansantes longues et une souplesse presque décontractée.

— Vous avez raison, cette sonate est d'une fausse légèreté, c'est pour cela qu'elle est infiniment profonde et émouvante.

Après avoir tiré deux bouffées profondes, Spencer posa son cigare dans un cendrier incrusté de nacre puis s'assit sur le tabouret du piano en prenant soin de ne pas froisser sa robe de chambre.

Il se racla doucement la gorge deux ou trois fois, ferma les yeux quelques secondes et prit une grande respiration. Ses mains se posèrent délicatement sur les touches du piano. Sans même que l'on vît ses doigts bouger, les premières notes envoûtantes s'échappèrent fluides et caressantes. Le piano libérait ses harmonies cachées que Spencer, par son génie, révélait à tous. Harry, qui connaissait chaque mesure du troisième mouvement, ne pouvait rester assis, il fallait qu'il marche, qu'il sente chaque note, chaque silence, chaque soupir. Il avait pris l'habitude de lézarder dans le grand salon, sans but, simplement lentement, le dos courbé, en caressant chaque note d'un sentiment, d'une émotion.

Spencer jouait divinement bien, ce n'était pas un virtuose, c'était un magicien capable de faire couler toutes les larmes de vos yeux et surtout, de faire naître en vous le sentiment merveilleux que la vie est belle.

Le monde de Spencer, dont il parlait si souvent avec passion, chassait la vérité, le réel, pour s'imposer avec délicatesse et volupté. Cet autre monde s'imposait pour quelques minutes fugaces, mais pour cette poignée de minutes, parfois de secondes, ce monde si vertueux justifiait tous les sacrifices.

Combien de fois le livreur de charbon, la gardienne ou même un voisin ivre mort, s'étaient offusqués, le regard vide et la bouche pleine de vices, du bruit qui les dérangeait ? Car les malheureux n'entendaient que du bruit, aveuglés par leur vie sordide. Il y a des mondes sur terre qui doivent être des supplices, des enfers, des prisons, des vides où la misère triomphe vomissant sa laideur dans sa logique implacable.

En passant devant la porte du bureau, Harry entendit des lattes du parquet bruire, ébranlées par une suite de pas nerveux. Intrigué par ces grincements martelés, il jeta un regard à la dérobée dans l'entrebâillement de la porte. Ce qu'il vit à cet instant, personne n'aurait pu l'imaginer.

IX

Harry découvrit avec stupeur le majordome, sur la pointe des pieds, en train d'exécuter un entrechat, le menton bien haut et les bras parfaitement tendus dans le prolongement du corps. Ses longues jambes semblaient d'une souplesse que seuls les grands danseurs savent maîtriser. Saut. Écart. Courbe. Révérence. Extension. Triple entrechat.

Les notes du piano exerçaient leur magie, même sur Andrew. Une voix intérieure l'exhorta à reconnaître que le majordome avait infiniment de classe et de finesse. Et bien que la pièce fût très étroite, le danseur tournait autour du secrétaire avec grâce et virtuosité. Soudain, il marqua un temps d'arrêt, puis posa une main sur la bibliothèque bleue. À cause de l'ouverture étroite de la porte que Harry ne voulut pas agrandir, il perdit de vue le danseur si bien qu'il ne parvint pas à discerner exactement ce qu'il faisait contre la bibliothèque bleue. Mais Harry en fut intimement persuadé, quelque chose d'étrange venait de se passer.

Spencer acheva la sonate comme il ne l'avait jamais fait auparavant. Confus d'admiration, Lady Oxblow et le colonel restèrent pétrifiés de bonheur, enveloppés par l'harmonie envoûtante de la musique. Pour ne pas briser ce moment précieux, ils restèrent ainsi, immobiles, leurs grands yeux ouverts tout enivrés de douceur et de bien-être, blottis dans les coussins douillets. Harry plissa le front et profita de cette fin magistrale pour ouvrir lentement la porte du bureau, qui grinça doucement.

Andrew replaçait la carafe de vermouth dans le petit meuble en marqueterie sans que rien ne laisse supposer qu'il venait de réaliser une chorégraphie.

– C'était extraordinaire ! Spencer, soupira Lady Oxblow.

– C'était Mozart, Lady Oxblow ! répondit Spencer visiblement épuisé, c'était Mozart, murmura-t-il à nouveau.

Harry quitta son poste pour ne pas se faire surprendre par Andrew. Il alla sans dire un mot devant la cheminée en faisant mine de se réchauffer les mains. Il ne put s'empêcher de jeter des regards inquiets du côté du bureau. Andrew l'avait subjugué et décontenancé.

Spencer reprit son cigare à demi éteint. Ses cheveux défaits au-dessus de l'oreille masquaient ses yeux enflammés par la joie intense que lui procurait le bonheur de jouer Mozart devant un carré d'amis. Son visage s'alluma de mille feux, il venait de faire un petit tour dans son merveilleux jardin secret.

— Spencer, dit à voix basse le colonel, vous m'avez comblé, vous jouez cette sonate à la perfection.

— Je la joue comme je l'aime, colonel, répondit-il avec un petit sourire en coin, elle m'aide à comprendre.

Pour Spencer, la musique était une question de sourire. Il se leva prestement, mit une main dans la poche de sa robe de chambre et se recoiffa de l'autre. L'immense bibliothèque en acajou doré respirait lentement et pour ceux qui avaient des dons d'observation, ils auraient pu remarquer que la *République de Platon* se tenait à nouveau debout alors que le bureau s'endormait dans un silence étrange.

— Mes amis, dit le colonel un peu navré, j'ai passé une très agréable après-midi en votre compagnie, mais je dois aller accueillir le vieux Général Cardigan à Marylebone Station, il fera une conférence à Lisson-Grove School demain dans la soirée.

— Une conférence sur quoi, colonel ? demanda Harry faussement intéressé.

— « La paix peut-elle être source de conflits ?»

— Quel charmant sujet de conversation ! Je me doutais que les militaires maîtrisaient l'art de faire la guerre, mais je ne me doutais pas qu'ils savaient aussi bien la préparer ! murmura Lady Oxblow un peu étonnée.

Grâce à cette réplique, Harry retrouva un peu de son sang-froid.

— Vous devez avoir raison, dit le colonel en hochant la tête.

— Je ne veux pas vous déranger, dit-elle en se levant, mais je dois passer à Leicester Square voir mon menuisier pour une affaire qui ne peut pas attendre, comme c'est sur le chemin de Marylebone auriez-vous la gentillesse de m'accompagner, avec ce temps neigeux je préfère ne pas être seule.

— Avec plaisir, dit-il, la moustache enthousiaste.

Andrew apparut, le visage spectral. Harry le dévisagea sans comprendre le prodige qui pouvait transformer cet être fruste à la démarche mécanique en un danseur prodigieusement doué. Andrew passa le manteau à Lady Oxblow et la veste au colonel puis se plaça de côté.

— Merci encore, Spencer, pour cette charmante après-midi, ajouta le colonel, et nous vous prions encore de nous excuser pour la lettre. À vous revoir très bientôt Messieurs.

— Merci encore Spencer, dit Lady Oxblow sur un ton traînant.

— C'est moi qui vous remercie pour votre visite, et pour ce magnifique bouquet, les lys rouges m'ont fait oublier la terrible méprise, je croyais être amoureux, alors qu'en fait je ne l'étais pas !

— Peut-être, Spencer, ajouta Harry, mais vous ne le saviez pas !

— Exact, c'était ma conscience qui me faisait souffrir.

Puis il s'adressa à Lady Oxblow qui posait délicatement un chapeau américain sur ses cheveux luisants :

— N'hésitez jamais à venir me rendre visite, surtout si vous avez des lys à un bras et le colonel à l'autre. Ils sont si beaux, mais toujours infiniment tristes à côté de votre sourire angélique.

— Merci, Spencer ! Vos mensonges me font tellement plaisir !

— Les mensonges ont été inventés pour cela, Lady Oxblow, ajouta-t-il en s'inclinant.

Spencer lui déposa un baiser sur la main. Puis, reprenant sa carrure d'aventurier des âmes, il tendit une main puissante au colonel qui le lui rendit bien. Harry l'imita, un sourire sur ses lèvres. La porte se referma, invitant un joli nuage de neige. À la vue des brindilles déposées par le coup de vent, Andrew s'adressa à Spencer avec un accent contenu :

— *Puis-t-il* mettre un peu d'ordre dans le vestibule ?

— Bien sûr, répondit Spencer, vous trouverez le nécessaire sous l'escalier de l'immeuble, au dernier étage.

Sous l'effet des tourbillons de feuilles séchées, déposées par les bourrasques de vent qui soufflait depuis deux jours, le damier de l'entrée s'était entièrement recouvert d'une épaisse poussière fuligineuse.

Avant de voir disparaître Andrew, Spencer eut le temps de s'écrier :

– Surtout, ne touchez pas aux armes blanches !

– Bien, Monsieur.

Lorsque Spencer et Harry se retrouvèrent enfin seuls dans le grand salon, Spencer se précipita dans son bureau.

– Mais où est-il ? Vraiment je ne comprends pas, je l'avais laissé à sa place dans la bibliothèque bleue avant d'aller au Savoy ! Harry !

– Oui, Spencer !

– Vous avez touché à la bibliothèque bleue ?

– Non, non, je suis sûr que non.

Spencer revint s'asseoir dans une bergère, la mine renfrognée et l'esprit tourmenté. Harry se cala, face à lui. Lorsque le silence les prit comme témoin, ils purent se regarder droit dans les yeux. Le moment était enfin venu d'évoquer les événements troublants qui s'étaient produits depuis la veille au soir.

– Vous commencez, Spencer ? demanda Harry.

– Très cher Harry, je vous laisse le soin d'ouvrir le bal, je préfère vous écouter.

Harry se carra les épaules pour être à son aise et inclina la tête sur une oreille du fauteuil. Il savait que les paroles qu'il allait prononcer ne pouvaient être entendues que par un être doué d'une intelligence supérieure, car ce qu'il avait à dire relevait de l'irrationnel. Il prit le temps de choisir un cigare, et passa la boîte à Spencer qui préféra s'abstenir. Il fallait avoir tous ses esprits pour comprendre… l'incroyable.

X

Harry tira sur son cigare deux très longues bouffées. Un nuage prodigieux s'échappa, épais et envahissant. Les paroles qu'il allait prononcer devaient être parfaitement claires, car Spencer ne lui laisserait pas d'autre choix que celui de la précision et de la concision.

– Spencer, je dois vous faire part de ma très grande incompréhension.

– Je vous écoute Harry, dit-il, concentré.

– Depuis hier soir, j'ai été, ou plutôt, nous avons été témoins de phénomènes étranges. Bien sûr, Spencer, il m'est déjà arrivé d'avoir des hallucinations surtout lorsque je fais une crise de palu ou lorsque je perds au Whist. Mais si je reprends bien le cours des choses et sans vouloir en aucune façon travestir la vision que j'ai de ces phénomènes dans ma mémoire, je pourrais les énumérer de la façon suivante : lorsque nous étions dans le salon Mauve j'ai remarqué que l'atmosphère y était anormalement chargée, les ombres des angles de la pièce semblaient y garder une présence, un œil, comme si nous étions épiés par un Esprit et pour bien connaître ce salon, je peux dire sans romancer, qu'il m'a paru, comment dirais-je ? Il m'a paru réagir à vos propos.

Harry scruta les pupilles de Spencer pour savoir s'il acquiesçait l'audace de sa pensée. Mais le regard de Spencer s'était déjà enfui vers les braises de la cheminée ; plus les paroles de Harry lui parvenaient, plus il ressentait un plaisir l'envelopper, comme si une idée germait en lui, un rêve fou, car Spencer n'avait jamais cessé d'espérer. Au fur et à mesure que Harry lui murmurait ces mots incroyables, des pensées mystérieuses creusaient son front. Mais Spencer ne lui montrait plus que son profil, comme si son âme s'était évadée. Ses longues boucles de cheveux trahissaient une fois de plus le chemin qu'il voulait prendre, léger et infiniment beau.

– Continuez, Harry, je vous en prie.

— Les tentures accrochées aux murs, si bleutées à l'habitude, se sont métamorphosées en tons chauds tout le long de l'après-midi ; de l'ocre, du citron, et même du rouge pour finir lorsque nous avons quitté le Savoy. Quant à la bibliothèque du salon Mauve que nous avons toujours connue gris-de-Payne, si discrète dans son coin, vous avez dû remarquer qu'elle avait perdu son apparence sombre pour prendre celle d'un jaune éclatant, vif, et même saturé. Je me souviens avoir vu cette nuance de jaune dans une huile de Lucien Arbaud, sur ses collines si belles, celles des environs de Paradou lorsque le début de l'été brûle les derniers reflets émeraude. Et ce n'est pas tout, Spencer. Aviez-vous remarqué ces gémissements qui venaient de l'intérieur, on aurait dit des onomatopées ? Et puis les livres, il m'a semblé qu'ils vivaient, qu'ils respiraient, j'ai senti des bruissements de feuilles et même des craquements comme les pas d'un inconnu qui erre. Tout à l'heure, cette bibliothèque, là, juste à côté de nous, n'a-t-elle pas chuchoté ? J'ai même entendu Pencroff appeler Oldstone, je ne plaisante pas, Spencer ! Je pourrais jurer que Pencroff demandait du feu à Oldstone !

Spencer ne bougeait pas, ses yeux restaient fixés dans les profondeurs des flammes qui dansaient la Saint-Guy. En relevant la tête, il esquissa un sourire. Quelle était cette magie, ce prodige ? Comment des objets de papier pouvaient-ils se manifester de la sorte et ses rêves les plus fous devenir réalité ?

Harry comprit qu'il devait en savoir plus, que son intuition devinait le mystère, mais il poursuivit pour soulager sa conscience.

— Je n'ai pas fini, Spencer. Lorsque vous avez exécuté la sonate tout à l'heure, j'ai vu cette bibliothèque en acajou devenir bleue. Oui ! Spencer, bleue ! Vous m'entendez, d'un bleu léger, céruléen, comme le ciel de Deauville au printemps.

Harry hésita un instant, car il n'avait pas encore livré toutes ses observations, puis il poursuivit :

— Mais si les couleurs nous avaient joué un tour, je crois bien que je ne vous aurais rien dit et je serais allé me coucher avec une camomille bien froide. Mais il reste d'autres phénomènes inexpliqués, tout aussi troublants. Bien sûr, nous connaissons mieux Lady Oxblow que le colonel, mais tout de même, leurs attitudes n'étaient-elles pas saugrenues ? Ne trouvez-vous pas étrange qu'ils s'intéressent au sort d'un ivrogne perdu dans un souterrain ? Qu'y a-t-il de fantastique à savoir qu'un pauvre type erre à trente pieds sous terre en prétendant avoir vu des toiles de Maître ? Et puis cette histoire de lettre, bizarre non ? ! Mrs Kennington qui surgit comme un tigre, prête à vous dévorer et qui repart le sourire à la bouche comme si de rien n'était peu de temps après avoir récupéré sa lettre ? « Oubliez tout ça », vous vous souvenez ? Que signifie cet abandon aussi soudain qu'inattendu ?

Harry reprit sa respiration. Le fait de mettre des mots sur les impressions qu'il avait perçues le convainquait encore plus de la présence d'un mystère qui lui échappait. Mais dans les yeux de Spencer, il y avait aussi de la jouissance, comme si le temps était venu, le temps d'une autre vérité.

— Continuez, Harry, dit Spencer envoûté.

— Je pourrais ajouter à ma description que le colonel n'a pas cessé d'épier la bibliothèque bleue de votre bureau. Il faisait des cercles autour d'elle pour essayer de découvrir les titres des livres ; il la caressait, passait et repassait devant avec émotion. J'irais même plus loin Spencer, il me semble que Lady Oxblow et le colonel sont venus ici cet après-midi pour chercher quelque chose, tout comme l'inconnu déguisé qui s'est introduit dans le salon Mauve pendant que nous y étions. Lui aussi semblait suivre une piste. Mais que peuvent-ils bien chercher ? dit-il pensif. Quel est le fil qui relie ces couleurs qui voyagent, le pauvre type dans le souterrain, la bibliothèque qui bruit, l'inconnu du salon Mauve, le colonel, Lady Oxblow et nous ?

— Vous avez une idée, Harry ? demanda Spencer en prenant un « al fresco ».

— Non, je n'ai aucune idée, déclara brutalement Harry en tirant à nouveau une superbe bouffée sur son cigare illuminé. Je dirais simplement que votre bibliothèque bleue n'a jamais été aussi bleue, aussi belle, aussi chargée en couleur. Vous auriez voulu la rendre plus belle, vous n'auriez pas mieux fait.

— Merci, Harry, c'est un beau compliment.

— Mais cela n'explique pas ce qu'ils sont venus faire ici. C'est en perçant le mystère des couleurs que nous trouverons la solution, elles doivent avoir une importance capitale. Et le colonel qui semblait plus intéressé par votre bibliothèque bleue que par la santé d'Andrew !

— Effectivement, dit-il d'un ton badaud.

— Remarquez, il n'y a peut-être rien d'extraordinaire à s'intéresser à vos livres, le colonel n'est pas livreur de charbon ! À moins que vous ayez des livres extraordinaires, bien sûr ?

— Non, Harry, mais j'ai des correspondances de Voltaire, un essai de Montaigne, je crois, les Caractères, et bien sûr un exemplaire du livre de cuir… auquel je tiens beaucoup, dit-il de façon presque inaudible.

— Vous croyez qu'ils fomentent une révolution ! demanda Harry.

— La plupart de ces livres sont écrits en français, ils sont dans leur version originale. Je les ai achetés il y a peu chez Brentano's ; je ne pense pas que le colonel ne comprenne un traître mot de cette langue si compliquée !

— En effet, c'est surprenant, répondit Harry. Peut-être est-ce de la curiosité ? Vous savez à l'office, quand je récite le bref missel du Saint-Esprit, je peux vous garantir que je suis un des rares à avoir l'air de comprendre quelques mots. C'est le révérend Naughton qui m'a appris la façon de procéder. Vous voyez Spencer, il faut se voûter légèrement comme ça et…

Harry s'était levé de son fauteuil et mimait son attitude à l'office quand Spencer, toujours très concentré, l'interrompit :

— Ce n'était pas de la curiosité, interrompit Spencer, le colonel cherchait quelque chose…

Harry se redressa, car une douleur aux lombaires qu'il avait gardée en souvenir d'une chute de cheval se rappelait soudainement à lui. À cet instant son visage s'éclaira comme si une idée lui venait brusquement à l'esprit. Il s'approcha de Spencer, car il tenait à le regarder dans les yeux.

— Le colonel semblait très intéressé par la bibliothèque bleue, je dois vous faire une confidence, Spencer, puisque ce détail semble vous intéresser.

— Je vous écoute.

— Lorsque vous avez interprété la sonate, je me suis rendu compte en passant devant votre bureau que le parquet grinçait par secousses, j'ai eu l'intuition qu'il se passait des choses étranges. J'ai alors regardé dans l'entrebâillement de la porte et là…

Harry baissa la voix pour ne pas être entendu par Andrew qui dépoussiérait le vestibule.

— J'ai vu Andrew en train de danser autour de votre secrétaire. Mais le plus troublant, c'est qu'il dansait avec autant de talent que vous jouiez.

— Auriez-vous encore goûté au Porto, Harry ?

— Spencer, je vous jure sur ma palette que je n'invente rien. À la fin de la sonate, il s'est approché de la bibliothèque bleue et…

— Qu'a-t-il fait, Harry ? s'écria Spencer en se redressant sur son fauteuil, il n'a rien touché, j'espère, vous l'avez vu avec un livre dans les mains ?

— En fait, murmura Harry un peu gêné, je n'ai rien vu à cause de la porte, mais je suis sûr qu'il s'est passé quelque chose à ce moment précis.

— Vous auriez dû regarder ! Il a peut-être pris un livre ? dit Spencer très inquiet, pourtant les portes de la bibliothèque bleue étaient fermées.

En disant ces mots, son esprit s'alluma comme un feu de broussailles torturé par une bourrasque. Aussitôt il se précipita dans le bureau et après quelques bruissements de feuilles et claquements de porte de la bibliothèque bleue, il laissa échapper :

— Je comprends, c'est donc lui ! Il me l'a pris ! Le colonel est arrivé trop tard ! Je veux en avoir le cœur net.

— Qu'y a-t-il, Spencer, un problème ? demanda Harry.

— Non, non, dit-il avec une voix monotone qui cachait mal son désarroi.

— De toute façon, Spencer, que peut-on trouver dans une bibliothèque ? Des livres. Dans les livres des histoires, dans les histoires de l'amour et dans l'amour de la beauté !

Harry paraissait très fier de ses déductions dont le ton et le rythme donnaient l'illusion d'un raisonnement puissant. Fort de cette démonstration, il se redressa un peu plus, mais avec une main en appui sur son dos endolori. En revanche, le regard de Spencer, tout cerclé de lourds sourcils chagrins, s'assombrit un peu plus.

— Merci pour ce travail de réflexion très pertinent, Harry. Vous avez un peu le même sens de déduction que notre ami Sherlock excepté que vos investigations ne mènent toujours nulle part, c'est peut-être là votre très grande supériorité.

Le ton était à s'y méprendre celui qu'il utilisait lorsque Harry le faisait perdre au Whist sur un coup joué trop vite face à une paire de professeurs de mathématiques à la retraite. Spencer était inquiet, très inquiet.

Harry garda son sang-froid et répondit avec un trait d'effronterie dans les yeux :

– Peut-être seriez-vous intéressé de savoir également que le colonel regardait avec beaucoup d'attention… le *fond* de la bibliothèque bleue ?

Harry fit un léger pas de deux afin d'amplifier l'effet de sa révélation.

– Le fond de la bibliothèque bleue ? En êtes-vous sûr ?

– Comme onze et onze font…

– Il va falloir agir, et vite, lança Spencer surexcité. Où est passé Andrew ?

Il saisit les accoudoirs du fauteuil avec brusquerie. Il y eut dans son regard une profondeur suspecte. Le temps de l'action était venu.

À cet instant, un cri de souffrance retentit avec effroi. Comme le hurlement venait du vestibule, Harry se précipita hors du salon en contournant l'immense piano à queue avec une agilité déconcertante. Spencer attendit un mot, qui ne vint pas.

XI

Planté sur le seuil de la porte, Harry s'écria :

– C'est Andrew qui a essayé une machette inca sur lui. Venez m'aider, nous ne serons pas trop de deux.

Spencer quitta sa bergère si chaleureuse, il se doutait qu'Andrew venait encore de payer sa curiosité. C'était l'occasion de lui poser quelques questions.

– Il faut le tirer dans le grand salon, nous serons mieux pour l'examiner, dit Harry pris de court.

Spencer découvrit sur le mur un crochet vide. L'arme gisait au sol juste en dessous, à quelques pouces de la victime inanimée.

En le tenant chacun par un bras, Harry et Spencer réussirent à traîner Andrew, totalement inerte, jusqu'au grand salon comme un gros sac de linge sale.

– Cela me rappelle une partie de chasse aux mouflons, l'hiver dernier, dit Harry en soufflant un peu. Regardez Spencer ! Il s'est blessé aux pattes, euh... aux mains je veux dire. Je vais chercher des bandelettes.

Spencer avait soulevé la paupière de l'œil droit, plus par curiosité que par ses connaissances cynégétiques réelles. Il dégrafa la veste d'Andrew sur trois boutons et lui glissa un coussin sous la tête. Harry revint aussitôt, un rouleau de gaze blanche assez large dans une main et la machette Inca retrouvée sur le sol de l'autre.

– J'espère qu'il n'a pas émoussé la lame, Spencer, elle est fragile. Vous vous rappelez, c'est moi qui vous l'ai offerte le jour où vous avez assommé le titulaire de la chaire de mathématiques de Cambridge à coups de cornemuse. Tout le monde a cru qu'il s'était assommé tout seul, en jouant. Vous vous souvenez ?

– Ah oui ! C'est exact, d'ailleurs il ne me dit plus bonjour depuis ce jour. On a beau dire, la cornemuse n'est pas un instrument complet.

Spencer se pencha sur Andrew et lui susurra d'une voix douce :

— Andrew, il faut vous réveiller.

Spencer manquait un peu de patience, car il aurait bien aimé poser deux ou trois questions à Andrew. Mais l'attitude du majordome, proche de celle d'un phacochère hésitant à rentrer dans les Ordres, laissa Spencer dubitatif. Pas tout à fait d'accord sur les méthodes conciliantes de Spencer, Harry voulut prendre les choses en main, de façon plus énergique.

— Pas comme cela, laissez-moi faire, regardez, il faut donner une gifle sèche et bien appuyée pour stimuler les humeurs, j'ai lu récemment ce bon conseil dans les « Mémoires du bourreau de Béthune ».

À l'instant où Harry prit son élan pour gifler impunément le majordome, les paupières d'Andrew papillonnèrent puis la bouche s'ouvrit sur le côté.

— Où suis-je ? dit-il faiblement les yeux mi-clos.

— Regardez, Harry ! dit-il en retenant sa main, il reprend ses esprits !

— Ses esprits ! Le pauvre ! soupira Harry transformé par un rictus sournois.

Pour stimuler son réveil, Harry avait levé la machette inca au-dessus de sa tête.

— Vous êtes en charmante compagnie, Andrew, réveillez-vous, dit-il comme s'il chantonnait une comptine, toujours sa machette suspendue telle l'épée de Damoclès.

Puis, s'adressant à Spencer pour avoir son accord, il ajouta :

— Une bonne gifle lui ferait quand même du bien.

— Je n'en suis pas si sûr, comportons-nous en vrais gentlemen.

Harry parut infiniment déçu, une belle occasion de lui rafraîchir les joues se dérobait une nouvelle fois.

— Prenez ces bandelettes, Harry, et pansez-lui cette main, je m'occupe de l'autre.

Heureusement, Andrew ne s'était blessé que superficiellement, quelques traces de coupures légères apparaissaient sur les paumes des mains. La vue du sang avait dû avoir raison de son enthousiasme.

Passablement contrarié, Harry s'appliqua à lui faire un pansement prodigieusement volumineux qui aurait pu s'apparenter à un gant de boxe s'il avait été au moins deux fois plus petit.

– Regardez, Harry, il retrouve encore ses esprits !

– Le pauvre ! soupira une nouvelle fois Harry. Vous croyez qu'une forte commotion peut guérir une personne en détruisant une partie de son cerveau ?

– Je ne sais pas, mais je me rappelle d'une fois, c'était au Trinity College, pour me venger d'un professeur de mathématiques, j'avais réussi à utiliser son intelligence à ses dépens. Sa réputation était telle que je croyais bien qu'il souffrirait atrocement.

– Et alors ?

– À mon grand étonnement, il ne s'est jamais aussi bien porté que ce jour-là. Je me demande si dans bien des cas l'intelligence n'est pas une pure vue de l'esprit ?

Andrew ouvrit un œil, puis l'autre.

– Allez, Andrew, un petit effort.

Andrew s'assit, puis, prenant appui sur l'épaule de Spencer, il se releva péniblement. Il découvrit alors l'énorme pansement qui prenait la taille d'un potiron à la Saint Charles.

– Je vous avais bien dit de ne pas jouer avec les armes blanches, dit Spencer sur un ton de reproche tout en le tenant encore fermement par le bras, j'ai quelques questions à vous poser.

– Je voulais simplement jongler avec les machettes. Ma tante, qui a eu le plaisir de m'apprendre à lire et à écrire, m'avait pourtant aussi appris à jongler. Vraiment je ne comprends pas ce qui a pu se passer !

– Nous comprenons très bien, ajouta Harry, promettez-nous de ne jouer ni aux pistolets ni aux machettes. Vous savez Andrew, elles sont d'une très grande valeur.

Le carillon de la porte d'entrée sonna un coup bref.

– Une visite pour vous Spencer ?

– Je ne sais pas, c'est peut-être Lady Oxblow qui a encore oublié quelque chose.

– Ne vous dérangez pas, Messieurs, je vais beaucoup mieux, euh… *il* va beaucoup mieux dit-il toujours choqué, je vais aller ouvrir, euh… *il* va aller ouvrir.

– Si vous y tenez Andrew, fit Spencer en enlevant son bras de sous son épaule.

Andrew tituba les premiers pas puis passa la porte du grand salon sans même toucher l'encadrement.

– Eh bien, très cher Harry, que pensez-vous de toutes ces choses étranges ? Si nous allions inspecter de près le fond de la bibliothèque bleue, peut-être que nous trouverions… je ne sais pas moi… ? Qui sait, la négligence du colonel nous aura peut-être mis sur la voie d'un trésor ?

– Vous avez raison, j'aurais aimé poser quelques questions à Andrew, mais allons voir la bibliothèque bleue. Je veux savoir ce qu'il cherchait.

Alors que Harry et Spencer s'apprêtaient à passer dans le petit bureau, Andrew réapparut avec une enveloppe serrée entre ses deux pansements.

– Monsieur, *il* a ouvert la porte, comme *il* a pu.

Andrew montra alors ses pansements, puis il ajouta toujours très fier de parler de lui à la troisième personne :

– Mais il n'y avait personne. J'ai trouvé, euh… *il* a trouvé cette lettre posée sur le Tabriz du vestibule, vous savez celui qui est orné d'hellébores mauves et de petites giroflées orange sur le ruban.

Harry dévisagea Spencer, ébahi par ces précisions dignes d'un grand orientaliste. Harry revint un peu sur ses pas en direction d'Andrew, mais avant de lui adresser la parole, il prit soin de mettre les mains dans les poches de son pantalon rayé de rouge et de perdre négligemment son regard sur la rosace en stuc du plafond. Puis, sur la pointe des pieds, il lui demanda :

– Dites-moi, Andrew, qui vous a donné le goût de l'art oriental ?

– Personne, Monsieur, *il* s'est intéressé à l'art lors d'une expédition militaire en Perse et en Palestine. J'avais été, euh… *il* avait été fait prisonnier par d'abjects barbares sanguinaires. Durant sa captivité ils m'ont, euh… ils *lui* ont enseigné les préceptes de la sagesse, de l'art et de la beauté.

Puis, il tendit la lettre qu'il tenait serrée entre les deux pansements.

– Je, euh… *il* pense qu'elle vous est destinée.

Spencer et Harry se dévisagèrent dans un silence papal. Puis Harry dévisagea Andrew qui maintenait son regard dans le vide en attendant une consigne. Spencer se saisit alors de la lettre en disant :

— Nous reparlerons un peu plus tard des hellébores chamarrés et du lierre orange et mauve des bas-reliefs du cochon.

— Du Port, Notre Dame du Port, Monsieur. Puis-je, euh... *puis-t-il* se retirer, Monsieur ?

— Oui, Andrew, vous *pouvassiez* vous retirer, mais ne vous éloignez pas trop, il faut que l'on se parle Andrew.

— Bien, Monsieur.

— Et ne jouez pas non plus avec les squelettes des reptiles accrochés dans mon bureau, il reste peut-être encore quelques gouttes de venin dans les dents des crotales et des vipères cornues. Ne touchez pas non plus au vivarium !

Andrew se retira le menton bien haut avec l'allure d'un membre de l'Académie des Sciences découvrant par hasard le prix du beurre. Il sembla qu'à cet instant une bribe d'idée traversa son esprit, mais ce ne fut qu'une très vague impression prétentieuse. En regardant fixement le majordome sortir de la pièce, Harry ne put s'empêcher de murmurer :

— Je me demande parfois si l'instruction n'est pas perverse pour l'Homme.

— Ce n'est pas le moment de faire votre mea culpa, Harry, dépêchez-vous maintenant, on a perdu assez de temps, il faut aller voir s'il y a quelqu'un devant la porte.

— Je faisais simplement le mea culpa d'Andrew, précisa Harry de plus en plus irrité par l'attitude du majordome.

Puis il se dirigea vers le vestibule et ouvrit la porte d'entrée avec force. Mais seule une rafale de vent glacé gorgé de flocons de neige l'attendait. Dans la rue désertée par les piétons, un cab passa à vive allure, juste devant lui, dans un fracas métallique. Harry laissa son regard divaguer des deux côtés de la rue, mais les deux extrémités de Paddington Street avaient déjà disparu dans les premiers nuages âcres des fumées épaisses gorgées de brumes. Il ne fallut pas longtemps pour que le vestibule se chargeât à nouveau de neige, de brindilles et de feuilles séchées. Harry revint sans tarder pour se réchauffer.

— Je n'ai vu personne Spencer, il fait un tel froid, je suis transi ! Et cette odeur de fraîchin ! Ça doit être marée basse. Ah ! Au fait, désolé d'avoir marché sur les bas-reliefs du cochon de l'entrée, dit-il en montrant le vestibule.

— Alors Spencer, cette lettre ? Encore une lettre d'amour ? Voulez-vous que je joue les francs-tireurs, je suis peut-être mieux armé pour affronter la déclaration d'amour d'une autre inconnue ! À voir vos réactions, il me semble bien que vous n'êtes pas fait pour ce genre de supplice. J'ai toujours pensé que les lettres d'amour étaient infiniment perverses, elles vous donnent la fâcheuse sensation que les plus gros mensonges pourraient être vrais. Et ce qui est pire, c'est qu'intuitivement on a toujours envie d'être complice.

— Prenez l'enveloppe, Harry, et lisez la lettre, je préfère.

Surpris, Harry se saisit de la lettre et la décacheta avec délicatesse.

— Vous avez remarqué, Spencer, aucune mention n'est écrite. Pas une adresse, pas même un nom. La qualité du papier ne fait aucun doute, il est luxueux. C'est étrange que l'auteur n'ait pas signé ?

— Alors, Harry ? Un créancier anonyme ?

— Laissez-moi le temps de l'ouvrir. Eh bien, dit-il en s'approchant de l'abat-jour dont la flamme s'était enflée par le courant d'air de l'entrée. Ciel ! C'est incroyable !

Harry tendit la lettre à Spencer avec une moue qui plaidait comme un appel à une explication. Dès qu'il lut le billet, il se mit aussitôt à fredonner un air de musique, sur le rythme d'une valse, une valse qu'il connaissait bien. Sur une feuille de papier gaufré, une partition surchargée de notes de musique griffonnées à l'encre bleue avait été dessinée d'une main sûre et rapide. Pas un seul mot, ni signature, simplement des notes, des clés, des soupirs, et des doubles croches. Quand il eut fini de battre la musique, Harry tira sur le reste de son cigare qu'il tenait difficilement et se laissa tomber sur les coussins du canapé.

— Mais qui peut bien vous adresser une telle lettre ? Cela n'a pas de sens ! À votre avis Spencer, que signifient ces partitions ?

— Les notes ont toujours un sens, Harry. Pour moi, ce sont elles qui donnent un sens à ma vie, sinon je serais mort, mort comme le livreur de charbon, un mort-vivant sans âme.

Il se tourna vers la bibliothèque en acajou dorée, il attendait un signe. La boîte à cigares tenait la *République*, la plupart de ses romans préférés se présentaient devant lui, dignement. Mais lorsque son regard tomba sur ces petites lettres dorées incrustées sur la tranche d'un livre sombre :

L À M A R T I N E,

Il se tourna aussitôt vers Harry :

– Harry, dit-il en brandissant la lettre, il faut y croire ! « *Objets inanimés avez-vous donc une âme. Qui s'attache à notre âme et la force d'aimer ?* » Lamartine avait raison !

– Qu'avez-vous trouvé ? répondit Harry très circonspect en se brûlant les doigts avec son cigare.

– Écoutez !

Spencer s'assit sur le petit tabouret du piano en soulevant sa robe de chambre d'un geste négligé, puis posa la lettre sur le pupitre avant de passer ses mains dans ses longs cheveux. Pris d'une excitation folle, il foudroya de son regard l'ouvrage de Lamartine. Il murmura sans que Harry ne puisse l'entendre :

– Objets inanimés avez-vous donc une âme ? Avez-vous donc une âme ? murmura-t-il à nouveau.

Alors, parfaitement concentré, il prit une grande respiration avant de poser ses doigts sur les touches du piano, avec velouté. Dès les premières notes, Spencer scruta toute la pièce avec un regard de prédateur. Harry, sous le charme de la musique, tressauta lorsqu'à la treizième mesure précisément, un grincement strident provenant du petit bureau déchira la douce ambiance du grand salon. Spencer bondit sauvagement dans son bureau, bousculant le tabouret et ne laissant à Harry que le temps de le suivre du regard.

– Venez voir, Harry, c'est incroyable, venez !

Harry poussa violemment les coussins qui l'enveloppaient et rejoignit Spencer dans son petit bureau.

Devant eux, la petite bibliothèque bleue n'était plus tout à fait à sa place, elle avait fait une rotation d'un quart de tour. Derrière elle, dans une obscurité étrange, un passage secret s'ouvrait vers l'inconnu.

XII

Plongés dans une muette stupéfaction, Spencer et Harry restèrent prostrés devant la bibliothèque bleue à demi ouverte. Le souffle coupé et le regard figé sur l'ouverture noire comme de la poix, ils crurent entendre un appel étouffé les invitant à s'aventurer dans le passage secret. Malgré son front audacieux, Spencer laissa échapper une expression aiguë, chargée à la fois d'émotion et de crainte que ses lèvres plissées révélèrent malgré lui.

Même si Harry et Spencer avaient toujours fait fi de la logique, avec beaucoup de bonheur d'ailleurs, il fallait bien se rendre à l'évidence, devant eux, le prodige extraordinaire qu'ils découvraient les prenait de court. Les notes de musique venaient d'ouvrir la porte d'un autre monde, un monde jusqu'alors impénétrable et irréel que pourtant Spencer avait si souvent imaginé. La lumière feutrée de la lampe du secrétaire s'échoua sur le seuil du passage secret, sans même pouvoir l'éclabousser. Les profondeurs obscures de l'inconnu ne laissaient pas le choix, il fallait explorer ses entrailles ou renoncer.

Ils se regardèrent alors, perplexes et hésitants. Spencer passa sa main dans ses boucles de cheveux en bataille comme il le faisait toujours avant de prendre une décision importante. Mais, dès les premiers instants, il sut qu'il ne se déroberait pas. Il irait jusqu'au bout. Il se demanda si son petit jardin secret, si fragile et si beau, allait s'ouvrir sur une Maison de grenades ou un Opéra, sans douter un seul instant qu'il s'était ouvert pour lui.

Bien sûr, un mystérieux inconnu lui avait adressé la partition pour forcer le destin. L'Homme est ainsi fait, lorsqu'il a une clé, il finit toujours par inventer la serrure. Il ne restait plus qu'à tourner la clé et découvrir le sens de toute cette énigme, et Spencer allait s'y employer.

Un courant d'air froid chargé d'humidité et d'une odeur désagréable se faufila sur le plancher alors qu'une angoisse superstitieuse s'infiltra au même instant dans leur âme et dans leur cœur.

– Comment ai-je pu ignorer ce passage secret si longtemps ? murmura-t-il, alors qu'il était dans mon bureau, là, tout près de mon secrétaire, juste derrière la bibliothèque bleue. Pourquoi n'y ai-je pas cru ? J'ai tellement rêvé d'un autre monde, sans me douter que mes livres cachaient une voie mystérieuse, un chemin que je pourrais emprunter pour quitter définitivement ce monde hideux. Je comprends maintenant l'attitude du colonel, toujours à passer et repasser devant ma bibliothèque, lui aussi était sur le point de trouver.

– Il regardait surtout le fond de la bibliothèque avec intérêt, ajouta Harry la gorge nouée.

– Vous avez raison, il devait se douter de quelque chose.

– À moins qu'il ne soit l'auteur de cette partition ?

– C'est possible, Harry, mais je ne le crois pas. Cependant, à l'instant où le coup de feu a retenti, il était sur le point de nous faire une confidence.

Le front toujours haut et téméraire, Spencer s'avança bien emmitouflé dans le cachemire de sa robe de chambre qu'il portait comme une fourrure. Les quelques pas qu'il fit lui suffirent pour n'être qu'à un souffle de la bibliothèque. Il la caressa avec respect, le bleu de la laque se mit à briller sous sa main reconnaissante.

Les trésors qu'il conservait avec amour se trouvaient parfaitement disposés sur les étagères de la bibliothèque bleue qui l'avait suivi depuis si longtemps et qui ce soir-là lui ouvrait enfin une voie mystérieuse. Mais il manquait toujours un livre. Les sonates, les contes, les mots ne dormaient plus. Ils étaient là, vivants, si vivants dans sa bibliothèque bleue qui avait été témoin de sa gloire, de ses triomphes, mais aussi de ses échecs, notamment lorsque le Royal Opera House de Londres lui avait refusé son plus beau concerto. Elle était son âme.

Les yeux embrumés par les ombres flottantes du trou noir, Harry ne parvint pas à retrouver sa respiration. Il pensa à Poe, à tous ces chemins sans âme bordés d'abîmes qui vous attirent et finissent par vous engloutir comme ces petites lumières rouges dans le désert que l'on suit aveuglément avec espoir, sans même comprendre, et qui, lorsqu'il est trop tard, vous conduisent au repaire des loups aux yeux affamés et cruels. Mais là, il ne s'agissait pas *d'histoires extraordinaires* à lire paisiblement dans son lit sous un édredon de plumes tièdes, mais bien d'une vraie bibliothèque et d'un véritable tunnel obscur.

Sauvagement fouetté par ses pensées sauvages, Harry se montra digne, c'est-à-dire très mal à l'aise. La dignité, quand elle est sincère, est souvent la forme de politesse la plus subtile parce qu'elle vous permet de lever le menton quand vous ne pouvez plus lever le camp. La peur, qui commençait à l'étreindre, lui conseilla un demi-tour stratégique, mais une voix intérieure lui commanda de rester. C'est ce qu'il fit, parce qu'il n'était pas question de laisser Spencer aller seul dans ce tunnel.

– Vous savez où est passé Andrew ? dit Harry avec l'arrière-pensée de le dissuader d'aller plus loin.

– Pas le moins du monde, répondit-il, puis il se mit à crier : Andrew ! Andrew ! Où êtes-vous ? Je sais que vous êtes là !

– Vous êtes fou, Spencer ! chuchota Harry pris de panique, on pourrait vous entendre, il ne faut pas faire de bruit ! Il y a peut-être des monstres là-dedans, dit-il en montrant du doigt l'ouverture obscure du passage secret.

Harry s'était rapproché, mais les deux pas qu'il fit lui coûtèrent beaucoup, au point de faire fondre les dernières couleurs de ses joues.

– Selon vous, où peut bien conduire ce passage ?

– Je n'en ai aucune idée, répondit Harry et je crois bien que je ne le saurai jamais.

– Vous vous trompez, Harry, nous allons savoir où il mène, et tout de suite.

– Vous êtes fou ! Vous n'allez quand même pas me faire croire que vous voulez aller dans ce...

Harry n'avait pas pu terminer sa phrase. Une éloquente intuition lui confirma que Spencer n'avait jamais hésité à franchir le seuil de ce monde mystérieux. La lumière de ses yeux dissimulait à peine l'excitation de vivre son enfance à perpétuité. D'autres, avant lui, avaient eu un dirigeable, une île. Lui aurait son tunnel, et peut-être plus.

– Qu'ai-je bien pu faire pour supporter ce châtiment ! se lamenta Harry. Demandez-moi d'aller à l'église déguisé en demoiselle d'honneur, de traverser la Tamise à Vauxhall Bridge, de sauver un professeur de mathématiques. Mais, Spencer ! dit-il solennellement, demandez-moi l'impossible, mais pas de prendre ce passage secret, je vous en supplie, pas le passage secret !

— Vous êtes allé mille fois à l'église habillé en demoiselle, vous avez traversé la Tamise à Westminster Bridge en petite tenue, à Lambeth Bridge en plus petite tenue et même à Tower Bridge sans…

— Oui, je sais Spencer, d'ailleurs j'attends toujours la croix du Bain, railla-t-il.

— Harry, vous avez déjà fait l'impossible plusieurs fois, il suffit de recommencer !

— Oui, mais je n'ai jamais sauvé un professeur de mathématiques ! dit-il le doigt levé et les yeux éclairés par le bon sens.

— C'est vrai, ça, je reconnais que ce n'est pas possible.

— Vous voyez, il y a bien des choses impossibles sur terre !

— Peut-être, mais sous terre, c'est bien différent. Écoutez Harry, c'est une chance divine, les livres ont gémi, les couleurs voulaient nous faire signe, nous ne pouvons pas faire comme si nous n'avions rien vu, rien entendu. Et cet ivrogne qui a découvert des toiles de Maître dans des souterrains ! Nous sommes des hommes Harry, vivants, humains. Pensez à Pencroff, Oldstone et les autres ! Il faut que nous allions au bout de notre destinée. Je sais que c'est incroyable, mais nous ne pouvons pas refuser un signe du destin, il ne faut pas que nous soyons en retard !

Même si Harry feignit de ne pas être sensible aux paroles de Spencer, l'expression de ses yeux se radoucit tandis que ses lèvres abandonnèrent la couleur de la cendre pour rougir à nouveau.

— Vous n'en reviendrez jamais, dit Harry d'une voix étouffée qui sonna comme le début d'une acceptation.

— Si. Parce que vous allez m'accompagner, j'ai besoin de vous, Harry.

— Quelle misère ! Si ma Tati me voyait ! gémit Harry en posant ses mains sur la tête.

— Elle serait fière de vous.

— Fière de moi ! s'exclama Harry. La seule fois où je me suis aventuré dans la forêt de Campbell, je n'en suis sorti que trois jours plus tard affamé et mort de froid. Ma chère Tati m'avait réchauffé à coup de pied dans le bas du dos. J'aurais préféré être dévoré par les loups. Depuis, je redoute toujours d'être attendu. Et je vous passe, bien sûr, les nombreuses fois où j'ai été accueilli par des sacs à main en crocodile sur mes plus beaux sourires ; et si vous suivez ma pensée, Spencer, j'ai comme dans l'idée que l'on est attendu dans ce trou noir et cette fois-ci, ce ne seront pas des sacs à main ou des ongles en furie qui se poseront sur nos joues si délicates. Ce seront des hallebardes ! Des fléaux ! Des anacondas vicieux ! Des mamelouks lépreux ! Des paresseux épileptiques, peut-être même des loutres assoiffées de sang qui se jetteront sur nos gorges fragiles, sur nos viscères si charmants pour faire de sinistres filets de pêche et des petits flotteurs avec nos…

— Harry, dit calmement Spencer, voulez-vous aller chercher un bougeoir dans le salon, ensuite nous partirons, il est déjà très tard. Il ne faut plus attendre. Prenez celui qui a une grosse bobèche, s'il vous plaît ! Je ne voudrais pas ruiner ma robe de chambre.

Spencer s'était exprimé le plus sereinement du monde avec un aplomb très académique. Parce que Harry savait pertinemment que toute discussion était inutile, il sortit du petit bureau à la manière d'une grosse otarie au régime, mais, en franchissant le seuil, il leva son index bien haut et trouva encore un peu de force pour lancer une nouvelle fois un avertissement désespéré :

— Des belettes enragées ! Des maçons en pleine forme, des sizerins enflammés et peut-être même des truies scrofuleuses et poitrinaires ! Vous verrez, Spencer, je vous aurai prévenu !

Traînant ses mules sur le parquet, Harry revint armé d'un bougeoir en porcelaine, la mine défaite et la tête un peu trop basse qui tenait du basset artésien enchifrené. Il ne cessait de marmotter tout bas :

— Grosse bobèche ! Grosse bobèche ! Mourir avec une grosse bobèche ! Quelle destinée !

Spencer lui prit le bougeoir qu'il tenait à l'envers et déclara impatient :

— Nous pouvons y aller, Harry.

— Nous pouvons aussi ne pas y aller, répondit Harry abattu.

Il ne restait plus qu'à allumer la bougie, car les yeux de Spencer s'étaient déjà bien enflammés. Aussitôt la petite flamme vacilla tourmentée par le vent coulis du tunnel. Spencer découvrit dès les premiers pas un petit escalier humide couvert de taches noires. Il descendait brutalement le long d'une paroi pierrée de pavés disjoints d'où suintaient des gouttes de liquides sales. L'atmosphère si délicieuse de son petit bureau s'évapora instantanément. Un autre monde, obscur et insalubre, prenait naissance dès les premières marches.

Harry suivit de près Spencer toujours habillé de sa longue robe de chambre et tenant à bout de bras son bougeoir lumineux. Spencer avançait avec prudence, car les pierres luisaient d'humidité. L'odeur qu'il avait déjà sentie dans le bureau se révélait plus forte, plus présente, presque nauséabonde.

Le long du mur ruiné de sécrétions visqueuses, des alcôves vides se succédaient sans explication apparente. Ces lieux si mystérieux avaient peut-être un jour accueilli des réfugiés en fuite ou même une société secrète.

Au-dessus de leur tête, entre les concrétions blanchâtres qui recouvraient la voûte en forme d'ogive, des traces épaisses brillaient faiblement à la lueur de la bougie. Des gouttelettes d'eau couraient de toutes parts puis venaient mourir en petits clapotis dans les flaques d'eau saumâtres qui s'égrenaient le long du chemin. Seuls, leurs sinistres échos résonnaient tristement en longs murmures chagrins.

Alors que tout semblait figé dans le granit, la petite flamme projetait des ombres folles sur les parois moirées et donnait l'illusion d'une autre vie, une vie sordide. Les silhouettes ténébreuses de Spencer et Harry les suivaient fidèlement comme des cerbères silencieux et inquiétants, toujours en retrait. Parfois Harry jetait un regard méfiant sur ces ombres qui s'agitaient dans leur dos en surveillant la parfaite synchronisation de leurs gestes. Un instant, il eut un doute, car il lui sembla apercevoir comme un léger décalage entre ses mouvements et ceux des silhouettes du mur. Il mit cette observation sur le compte de la peur, sans pourtant en être véritablement convaincu.

L'angoisse qui l'avait oppressé dans les premiers instants se métamorphosait en curiosité étrange, il eut un vague pressentiment. Une fugace sensation lui fit craindre ces pierres veinées de noir. Même les flaques d'eau qui jonchaient le sol délabré produisaient des images pâles et brumeuses qui s'évanouissaient à chaque sacrifice de gouttes d'eau. Indéniablement, une vie sans âme habitait ce tunnel.

Les escaliers se terminèrent sur un large palier constitué de grandes dalles régulières en forme de spirale. Un froid humide et saisissant enveloppa aussitôt les deux aventuriers. Spencer frissonna. Le cachemire de sa robe de chambre faiblit un peu alors que Harry réajustait sa chemise et son extraordinaire pantalon.

En face de la dernière marche, trois tunnels identiques, parfaitement obscurs, s'ouvraient vers l'inconnu. Aucune inscription ne permettait de s'orienter, il fallait choisir parmi les trois tunnels.

– À votre avis, Harry, lequel faut-il prendre ? Celui de gauche, du milieu ou de droite ?

– L'escalier qui est derrière nous me semble parfait, Spencer.

– Merci, Harry, mais je parle des trois passages qui nous tendent les bras.

– Qui nous tendent les bras ! répéta-t-il en s'étouffant. Si ma Tati vous entendait, elle vous prendrait par la… !

– Celui du milieu, dit avec conviction Spencer, prenons celui-là, mon intuition me dit que c'est le bon chemin.

– Le bon chemin ! Misère de misère, gémit Harry en suivant Spencer dans le tunnel du milieu. Je crois que c'est la première fois que je joue au ver de terre avec vous, mais c'est la dernière aussi. Vous avez toujours de drôles de jeux.

Ils marchèrent ainsi un bon sillon en attendant que le destin ne les rattrape, mais le monde merveilleux auquel ils avaient tant rêvé ne s'entrouvrait jamais. Aucun indice ne permettait de se repérer ni d'imaginer vers quelle destination ils se dirigeaient, car l'immense dédale vicieux serpentait en lacets tortueux de sorte qu'après plusieurs circonvolutions, toute tentative d'orientation demeurait vaine.

– Il fallait peut-être prendre un autre tunnel, grommela Harry.

– Il fallait peut-être, ou il ne fallait pas, répondit Spencer un peu agacé, puis il ajouta : il faut aller jusqu'au bout, jusqu'au bout Harry, répéta-t-il froidement. Si nous renonçons, nous sommes perdus.

La misère dégoulinante des murs humides et froids s'installait insidieusement sous leurs yeux et dans leur âme.

Spencer essaya de se défaire de ce sentiment vague de dégoût et d'amertume en s'obligeant à repérer des détails qui auraient pu avoir une importance. Une pierre un peu trop saillante, une trace de suie, un caillou plus clair que les autres.

Harry crut apercevoir une pierre basse, un peu différente des autres. Elle prenait la forme d'un écu à orle couverte par un franc-canton chargé d'une quintefeuille, mais Spencer estima qu'il n'y avait là qu'un caprice de la nature sans intérêt.

– Spencer !

– Oui, qu'y a-t-il, Harry ?

– J'ai l'impression que l'on nous surveille, dit-il la gorge serrée, cela ne m'étonnerait pas qu'en plus des cafards il y ait des Cafres qui nous épient.

– Cessez d'être ridicule, qui peut bien nous regarder ici ? Nous sommes au moins à trente pieds sous terre. À part un ou deux fantômes, vraiment je ne vois pas ! dit-il avec un trait d'ironie qui ne sonna pas du tout comme un démenti.

– Justement ! Spencer, dit-il à voix basse, ne plaisantez pas avec les revenants. Imaginez que l'on surprenne le fantôme d'Archibald Vence le livreur de charbon, Stappleford le cordonnier ou même Arthur Bermondsey, notre ancien tailleur.

– Eh bien, ce serait de charmantes rencontres ; n'étaient-ils pas chaleureux la première fois que nous les avons vus ?

– Bien sûr, acquiesça Harry, mais seulement la première fois. Nous devions à Stappleford encore cinquante-deux guinées et cinq shillings, juste avant qu'il n'agonise dans d'atroces souffrances. Et quant à Bermondsey, je crois qu'on lui devait le double ! Fort heureusement, il a succombé à une crise d'apoplexie juste avant de remettre ses créances au Juge. Parfois je me demande bien pourquoi Dieu est si juste ?

Spencer crut bon de ne pas répondre, mais son silence fut lourd, très lourd. Harry savait pertinemment que les mots les plus cruels sont toujours ceux que l'on ne dit pas. Un voile d'inquiétude passa dans son regard. Il ajouta aussitôt en retenant Spencer par le bras :

– Et si un beau matin, tous les morts se réveillaient, ce serait vraiment terrible, n'est-ce pas ?

Spencer s'arrêta. Il se retourna vers Harry qui attendait une parole encourageante. Spencer brisa le silence pour le rassurer, mais à sa manière :

— Assurément, Harry, ce serait terrible si tous les morts se réveillaient, il n'y aurait pas assez de petits déjeuners pour tout le monde, et surtout pas assez de beurre !

C'était une façon très personnelle de rappeler à Harry que son plus gros défaut était assurément de beurrer trop épais, ce qui, pour un gentleman, restera toujours une faute de goût.

— Très amusant, Spencer ! Si nous n'allions pas être sauvagement agressés, je crois que je ferais travailler mes zygomatiques, mais je n'ai pas le cœur à travailler en ce moment, surtout des zygomatiques ! dit-il les dents serrées, puis il ajouta :

— La prochaine fois que vous serez mourant, je beurrerai très fin, mais vraiment très fin, vous verrez Spencer. Non ! Vous ne verrez rien, car nous allons être dévorés comme deux petits lamantins !

Malgré l'attitude faussement décontractée de Spencer, le malaise de Harry ne se dissipait pas et le couloir sordide dans lequel ils s'enfonçaient tous les deux depuis une bonne heure ne faisait que raviver la crainte qui ne l'avait jamais vraiment quitté. Mais la crainte, lorsqu'elle s'installe, finit par prendre des formes plus élaborées. La rancœur. L'amertume. L'égoïsme.

— Si nous faisions demi-tour pour voir si Andrew ne s'est pas blessé avec les dents des serpents ? dit Harry en se rapprochant tout près de Spencer.

Il jeta un regard méfiant derrière lui en imaginant comment il allait pouvoir se défendre face à une horde de fantômes armés de chaînes et de boulets.

— Vous pensez à Andrew ?

— Ce n'est pas un vrai mouflon, même s'il est du Staffordshire.

— Je vois que vous savez faire des concessions quand il le faut, Harry.

— Pas du tout, mais s'il lui arrivait quelque chose de fâcheux, je ne me le pardonnerais jamais. Il est peut-être dans votre petit bureau à cette heure-ci à faire des cocottes en papier avec vos fiches, ajouta-t-il très sournoisement.

— Harry, écoutez. Si vous souhaitez retourner à l'appartement, vous pouvez, je vous laisse même la bougie.

— Non Spencer, je ne veux pas vous laisser seul au milieu de revenants, dit-il en scrutant l'obscurité qu'il abandonnait derrière lui. Mais je n'arrive pas à m'enlever de l'idée que notre livreur de charbon fréquente peut-être cet endroit simplement pour se distraire. Et si tous ses amis sont là, je ne donne pas cher de notre peau. Je ne vais quand même pas faire un malaise à chaque fois.

— Comment ! Harry ! Si vous pensez que nous pouvons le rencontrer, c'est que vous l'avez tué ! Il ne peut y avoir que des fantômes, ici !

— Je n'ai jamais tué personne, vous le savez bien. Pour me venger, j'utilise toujours la gentillesse, j'ai remarqué que c'est bien plus cruel ! D'ailleurs à propos de gentillesse, vous savez que nous ne sommes même pas armés !

— Je crois bien que ma Perdey Moore et Dickson ne pourrait rien contre des spectres. Non, s'il le fallait, j'utiliserais sans scrupule mon cerveau pour me défendre.

— Moi aussi, répliqua aussitôt Harry très serein.

Spencer s'arrêta et plaça le bougeoir presque sous le nez de Harry pour bien éclairer son visage.

— Vous utiliseriez *votre* cerveau pour nous défendre, dites-vous ?

Spencer avait appuyé sur chaque mot avec un ton suspicieux, puis il ajouta :

— Traître !

— Pas du tout, Spencer, je voulais dire que moi aussi j'utiliserais le vôtre.

— Je préfère, alors nous avons une chance de nous en tirer.

Spencer reprit sa marche lente et prudente. La bougie commençait à donner des signes de faiblesse. Elle s'était consumée jusqu'à la moitié, ce qui signifiait qu'il pouvait juste faire demi-tour ou alors continuer sans espoir de revenir. Ce détail n'avait pas échappé à Spencer qui choisit d'allonger discrètement le pas.

— Ce tunnel est vraiment hideux ! s'exclama Harry qui commençait à regretter d'avoir eu du courage.

— En effet, je suppose que l'enfer doit ressembler un peu à cet horrible trou noir.

— Je ne sais pas, je n'y suis jamais allé et si vous y allez avant moi Spencer, dites-leur que je serai probablement en retard, comme d'habitude.

— Dans la vie, les plus heureux ne sont pas toujours ceux qui traînent en chemin.

— Vous avez raison Spencer, ce qui compte, c'est la vie que nous menons, mais ici, franchement, j'ai l'impression d'être un livreur de charbon en pleine forme.

— Tenez bon, Harry ! Je sais que ce n'est pas facile, mais il faut aller jusqu'au bout.

Spencer marchait toujours devant, la lampe à bout de bras et le plus haut possible afin d'apercevoir le moindre signe qui lui aurait donné du baume au cœur, mais le halo de la flamme ne projetait que des ombres inquiétantes sur un décor endeuillé par l'obscurité et la saleté.

À son tour, Harry constata que la petite flamme s'était réduite dangereusement. Il garda ses reproches pour lui, mais il les pensa fortement. L'impression désagréable qui s'était lentement insinuée dans son esprit devint plus présente au point de s'affirmer en une sourde colère.

Des pensées étranges et sordides se succédèrent dans son âme. Sa bouche, dont la pénombre gardait le secret, se mit à se plisser à chaque extrémité et à tomber misérablement. Ses joues s'aplatirent, se creusant, âpres et cassantes. Il sentit ses mains devenir plus fortes, plus sûres, plus audacieuses en même temps que son esprit se diluait dans la médiocrité. Lorsqu'il tourna son regard vers le mur qui défilait silencieusement à sa gauche, il vit qu'il se tenait beaucoup plus droit, il y avait désormais dans l'inclinaison de son dos de la certitude et même un peu d'orgueil. Indiscutablement, ses épaules s'étaient affirmées comme son caractère se métamorphosait.

Derrière lui, il entendit des gouttes d'eau se sacrifier dans des flaques. Mais elles résonnèrent étrangement, plus violentes, plus sourdes aussi. Il constata que ses pas claquaient avec le même écho, la même sonorité. Il se retourna lentement, mais sans vraiment redouter ce qu'il pouvait découvrir, car il était désormais de ce monde. Il ne vit que la profondeur aveugle d'un trou noir anonyme, sans fond. Il eut à cet instant non pas le sentiment d'être suivi, mais la confortable sensation de suivre, de suivre l'homme voûté qui marchait devant lui, un bougeoir à la main.

Bizarrement, ce sentiment le laissa de marbre. Il ne ressentit aucune envie d'en informer Spencer, il était ailleurs ou plutôt bien là, présent, les deux pieds dans la fange et l'esprit dans les ténèbres. Son attitude l'étonna lui-même. Et plus le temps passait, plus des idées nouvelles auxquelles il n'avait jamais songé lui traversaient l'esprit. Il y avait désormais en lui des marques de faiblesse et de caducité qui attisaient son amertume en marée de reproches. Comment avait-il pu se laisser entraîner dans ce labyrinthe si miséreux ? pensa-t-il. En regardant les épaules de Spencer ainsi que sa longue robe de chambre salie aux extrémités, il eut un goût âpre dans la bouche qui fouetta ses pensées perverses.

Pourquoi s'obstinait-il à aider Spencer, trop rêveur pour vivre seul ? Pourquoi épongeait-il ses dettes pour le sortir de situations inextricables ? Et tout ce temps perdu à contempler des nuages, à lire, à écouter, à ne rien faire !

Il lui vint l'idée qu'en fait, il partageait trop, il perdait son temps avec un paresseux sans revenu, qui ne pourrait jamais lui rendre le centième de ce qu'il lui avait donné. Il regarda à nouveau le noir des pierres qui suintait un liquide sale, mais cette vision ne le choquait plus, il l'avait acceptée. Et plus il regardait ce mur et cette voûte obscure, plus il devenait évident qu'il s'était trompé, lui, le grand homme. Il aurait pu tellement s'enrichir s'il n'avait jamais rien donné.

Soudain, une goutte de sueur froide perla sur son front et se jeta sur le sol. Un accès de fièvre le submergea. Une fièvre intense. Brûlante. Cruelle et saisissante. Il tituba, puis s'effondra en griffant de ses mains traîtresses le mur qui aurait dû le retenir. Il gisait sur le dos, son regard perdu dans l'ombre de la voûte qui le dominait, en vainqueur.

— Mon Dieu ! s'exclama Spencer en posant le bougeoir à côté de son front, qu'y a-t-il ? Qu'avez-vous ? Répondez Harry, je vous en supplie !

Il y avait du désespoir et des larmes dans la voix de Spencer. Lorsqu'il découvrit le visage de Harry, il tressauta. Il crut tenir un spectre dans ses bras. Malgré le peu de lumière, Spencer discerna parfaitement le teint livide, presque exsangue de Harry. Ses yeux ne s'étaient pas fermés, ils luisaient encore comme des étoiles mourantes.

— Qu'avez-vous, Harry, souffrez-vous ? dit-il bouleversé.

— Le diable ! Spencer ! C'est le diable, il faut partir, gémit-il, ce tunnel est un enfer, l'enfer des âmes.

— Que dites-vous ?

— Mon âme, Spencer, il prend mon âme, il faut partir, s'enfuir. Partez tout seul, si vous pouvez, fuyez ! Laissez-moi ! Sauvez-vous ! Je suis damné !

— Vous avez de la fièvre, Harry, des hallucinations, il faut vous découvrir, je m'occupe de vous, dit Spencer bouleversé. Le tunnel n'a pas d'importance, je vous ramène dans votre lit.

Spencer avait laissé son bougeoir à terre. Le plus délicatement possible, il souleva Harry de ses deux mains, puis, d'un geste très attentionné, il réussit à le porter sur ses épaules.

— Ne vous inquiétez pas, Harry, bientôt vous serez dans votre lit avec une bonne camomille, faites-moi confiance, je ne vous abandonnerai jamais.

En voulant reprendre le bougeoir, Spencer vit la flamme plier sous le souffle d'un courant d'air violent. Il eut le réflexe de pousser de son pied une pierre qui dépassait du mur.

Presque sans effort, la pierre s'enfonça comme si elle avait été placée sur un rail. Un raclement de poutres suivi d'un grincement de poulies métalliques retentit bruyamment tout le long de la paroi, puis le mur s'écarta. Devant eux, une lourde porte de chêne lisse apparut. À mi-hauteur, un loquet en fer blanc n'attendait qu'un seul geste.

Spencer, avec Harry sur les épaules qui geignait en marmottant des supplications désespérées, tira la porte vers lui avec une infinie précaution.

Un parfum de sous-bois, de mousse et de myrte filtra à travers l'entrebâillement de la porte. Spencer découvrit devant lui une splendide cheminée surplombée d'une poutre de granit rose, quelques braises éclairaient modestement un grand Kilim d'Hanbels sur lequel dormait un éléphant entouré de cornacs à côté de chameaux et de magnifiques chevaux arabes. Sur les murs, un Ghoum à franges sommeillait alors que les angles de la pièce restaient ensevelis par l'obscurité.

Il n'y avait plus de doute, Spencer et Harry étaient bien au Savoy Hotel, à l'intérieur même de la bibliothèque du salon Mauve.

XIII

Big Ben sonna plusieurs coups. Des coups lents. Profonds. Sinistres. Implacables. Longs. Très longs. Cruels. Pesants. Sans fond. Des coups graves. Des coups que l'on aimerait ne jamais entendre. Puis, plus rien, juste le silence de la nuit.

Spencer ne les compta pas, il comprit qu'il était tard, peut-être bien deux heures avant que minuit sonne. Le vent d'est, chargé de neige et de grésil, devait encore souffler fort sur Londres en cette froide nuit d'hiver pour venir jusqu'à Savoy Street colporter les terribles appels de la Tour.

Malgré l'heure avancée, il était encore possible de croiser d'irréductibles clients peu pressés de rentrer chez eux. Tant que le mort n'était pas tombé ou si le roi se tenait encore bien droit devant une poignée de soldats, il n'était pas question d'abandonner les lieux. Un matin, Spencer avait surpris deux Irlandais exténués qui n'avaient pas pu quitter leur échiquier. L'obstination avait un prix, car l'un deux avait été contraint de proposer la nulle, alors qu'il venait de faire une dame, simplement parce qu'il commit l'erreur impardonnable d'être à court de tabac.

Il fallait donc être prudent, et surtout très discret, une visite impromptue pouvait à tout moment les déranger.

Les lourds rideaux du salon Mauve avaient dû être tirés par le dernier client du salon, mais ils ne se rejoignaient pas tout à fait, de sorte que les pâles rais de lumière des réverbères s'échouaient sur l'ivoire de l'éléphant. Les globes du lustre avaient été éteints depuis peu, car une forte odeur d'huile lampante s'évaporait encore dans la pièce. Fort heureusement, un chandelier en verre de Bristol bleu intense, posé sur un carré de velours d'Utrecht orangé, avait été placé par le chasseur sur un coin de la cheminée. Il tenait encore une longue et fine bougie allumée dont la petite flamme pétillante sauvait à peine le jour.

En découvrant un filet de lumière glisser sournoisement sous la porte de l'entrée, Spencer comprit que les salons n'étaient pas encore désertés. Des bruits de verres et de voix lointaines provenant du premier étage remontaient par le majestueux escalier et venaient mourir dans le corridor du deuxième en rumeur inaudible.

Alors que le salon Mauve rayonnait de vie dans la journée, le soir, prisonnier des ombres et du silence, il revêtait un caractère troublant, chargé de présences obscures comme s'il restait encore, bien après le départ du dernier client, une vie imprégnée de paroles et de gestes si bien que les murs, les tentures, les poutres et le canapé gardaient au plus profond de leurs fibres des regards distraits, mais attentifs à toute vie. L'œil de l'éléphant, exagérément blanc, restait écarquillé. Il fixait les cornacs, toujours aussi exubérants, qui ne donnaient aucun signe de fatigue. On aurait même pu croire qu'il suivait tous les regards. La pénombre avait pu effacer la vie des hommes, mais elle semblait ne pas avoir de prise sur les autres, celles des silhouettes confuses couchées sur le Kilim du Caire.

Un cab passa à vive allure dans Savoy Street martelant les pavés de la rue déserte. Londres était toujours là. Incontournable. Emmitouflée dans un fog glacé, sombre de vérités.

Le tonnerre métallique, si familier et si réel, ramena Spencer au monde des certitudes. Il fit un pas, avec Harry sur les épaules, ivre de fièvre. Autour de lui, il aperçut des livres sur des rayonnages. Il venait de franchir le fond de la bibliothèque du salon Mauve. Cette bibliothèque qui avait su garder toute sa discrétion, grise, puis jaune était en fait une issue du passage secret. C'était donc le sens des couleurs, elles voulaient attirer l'attention sur le tunnel qui reliait le salon du Savoy à son bureau du 14 Paddington Street.

La surprise passée, Spencer pensa d'abord à Harry.

— Je vais vous installer sur le sofa, nous sommes arrivés au salon Mauve, vous entendez, Harry, nous sommes au Savoy !

Harry se tournait et se retournait en se tenant le front ruisselant de sueur. Ses yeux cireux, tout cerclés de boucles tristes, pleuraient des larmes de douleur. Un tourbillon d'amertume tirailla ses traits déjà convulsés par l'effroi l'obligeant à marmotter des bribes de phrases désespérées alors même qu'il gisait sur le sofa de son salon préféré.

À l'aide d'un mouchoir en lin passé à la lavande qu'il gardait dans une poche de sa robe de chambre, Spencer lui épongea le visage avec une infinie tendresse. Il lui fit sentir ces parfums capiteux pour chasser l'odeur putride du tunnel démoniaque. Harry reconnut ces senteurs, car son nez s'agita en même temps que sa respiration se fit plus régulière, plus saine. Une fois l'an, à la saison des amandiers en fleurs, Harry occupait ses journées à courir les garrigues inondées de romarin, de lavande et de thym. Il se rendait en chemin de fer au cœur de la Provence, au Paradou, pour passer quelques jours chez un vieil ami peintre.

On ne sut jamais si les effluves de lavande firent un miracle, mais les spasmes s'espacèrent et comme la fièvre retomba aussi vite qu'elle avait frappé, il retrouva le calme qui le plongea dans un sommeil mérité. En souvenir de son ami Knock, Spencer vérifia le pouls, ignorant tout de la médecine, mais ne négligeant aucun geste rituel à tout diagnostic sérieux.

Il plaça délicatement plusieurs coussins sous sa nuque raide en lui prodiguant les soins les plus attentifs. Alors que des marques de souffrance se lisaient toujours sur les contours de ses lèvres rétrécies, la fièvre semblait avoir disparu. Jamais Spencer ne vit une seule fois Harry si torturé, si défait. Il paraissait meurtri, non seulement dans sa chair, mais aussi dans son âme, car une engourdissante méditation affaiblissait son regard et sa conscience.

Spencer mit à profit ces moments d'absence pour tirer les grands rideaux. Venue du Nord, une bande interminable de corbeaux noirs passa au-dessus des toits éclairés de neige, ils allaient trouver refuge sous les porches des écuries de Buckingham Palace. Au loin, des vapeurs de fog, cahotées par la houle du vent, pesaient terriblement bas sur l'horizon. Une clarté blafarde, triste et désolée, chargée des reflets ternes du manteau neigeux s'engouffra froidement dans le salon.

Spencer prit le temps de rallumer les deux appliques et de donner quelques coups de tisonnier dans l'âtre. Une grosse bûche à demi éteinte, qui luisait encore à une extrémité, réveilla les charbons assoupis en lueurs ardentes et pétillantes.

Harry dormait toujours d'un sommeil paisible, un peu bruyant, mais serein.

Sur le palier, Spencer entendit des bruits de pas mêlés de craquements aigus du vieux châtaignier en même temps qu'il sentit une odeur âcre de Cavendish déclassé coupé trop fin. Une sagace intuition lui fit deviner qu'il s'agissait d'un groupe d'Écossais de belle stature, mais il ne misa pas une seule livre, car Harry n'était pas en état de parier. Sur le chemin du retour, les derniers clients du Savoy commentaient avec passion le dernier pli d'un Whist à double mort. Ils prononcèrent avec âpreté les deux seuls mots qu'un joueur de Whist peut dire sans perdre sa réputation : *tricks* et *honours*, mais le ton était au regret. Au son de voix graves et profondes, les morts, en apparence, ne se portaient quand même pas trop mal.

Jamais Spencer n'était venu dans ce salon sans aucune lumière. Il ne restait qu'un feu épuisé rehaussé par le halo des lampadaires de Savoy Street. Depuis longtemps, les ombres avaient englouti les deux petites appliques et le chandelier solitaire. La hauteur des plafonds qui se perdait dans l'obscurité ruinait le charme du maroquin, du Kilim chatoyant, des tentures et de l'âtre si chaleureux. Les couleurs d'habitude si vives et si complémentaires se noyaient en gris terne, sans épaisseur, ni ombre portée.

Spencer s'approcha de Harry qui paraissait reprendre conscience.

– Harry, comment allez-vous ?

– Mieux, répondit-il faiblement.

– Reposez-vous, je suis là.

– Merci, Spencer. Je ne sais pas ce qui m'est arrivé, j'ai bien cru que je partais pour le grand voyage, dit-il alors qu'un changement visible s'opérait dans ses yeux.

– Vous avez fait une poussée de fièvre, voilà tout, le tunnel était tellement humide.

– Non, Spencer, si vous saviez ce que j'ai pensé !

– Rien de grave, dit Spencer sur un ton très rassurant, c'est bien naturel d'avoir des hallucinations lorsqu'on a une poussée de fièvre, vous le savez bien. Souvenez-vous de votre dernière crise de paludisme.

– Ce n'était pas une crise de palu, c'était mille fois pire, dit-il encore suant, j'avais une irrésistible envie de vous trahir. J'étais tellement petit, égoïste et sournois. Je n'ai pensé qu'à l'argent, à m'enrichir, à tout garder pour moi. Si vous saviez

Spencer comme j'ai été mesquin et mauvais ! J'espère que vous me pardonnerez. Je...

Les mots jaillirent d'une façon si désespérée et si brutale, avec des pleurs dans la pensée, que Spencer ne put endiguer le flot de ses paroles qu'en l'interrompant.

– Cessez de vous tourmenter, ce n'est rien, Harry, c'est fini, voilà tout. Existe-t-il un seul homme dans ce bas monde qui n'ait jamais eu de faiblesse ? Je dirais même plus, Harry, un gentleman doit avoir des faiblesses pour montrer l'exemple, l'exemple à ne pas suivre, bien sûr.

– C'est ce tunnel, Spencer, ce tunnel est un enfer !

– Je sais, Harry, nous reparlerons de tout ça plus tard, il faut continuer notre chemin même s'il n'est pas facile. Commençons par refermer cette bibliothèque, il ne faut pas attirer l'attention sur ce passage secret, le majordome peut encore venir. Nous serions bien en peine d'expliquer notre présence alors qu'il ne nous a pas vus entrer.

Spencer poussa la bibliothèque contre le mur en vérifiant que son fond ne présentait aucun indice de leur passage. Il feignit de ne donner aucune importance aux regrets de Harry pour mieux le réconforter, mais en fait, le plissement de ses paupières mesurait cet aveu comme un pressentiment.

Harry le regarda déplacer le meuble, impuissant. L'enthousiasme de Spencer, si communicatif, lui redonna un peu de couleurs qu'il mit à profit pour s'asseoir. En faisant un pas en arrière pour s'assurer que la bibliothèque était parfaitement à sa place, Spencer constata, sans vraiment être surpris, que l'exemplaire du livre relié de cuir rouge avait disparu de l'étagère. Il se garda bien de se confier à Harry pour ne pas aggraver son état.

– Harry, il faut que nous sachions si nous sommes les seuls à emprunter ce passage secret. Nous allons mettre un livre sur la corniche, nous saurons très vite si ce passage est régulièrement utilisé. S'il tombe, c'est qu'un inconnu aura déplacé la bibliothèque.

– J'avoue ne pas avoir la tête à réfléchir, dit Harry avec un accent de tristesse.

Spencer parcourut les livres avec une prodigieuse vivacité en égrenant sa recherche par des commentaires très personnels, car il voulait bien tendre un piège, mais pas avec n'importe quel ouvrage.

— Non pas celui-là... Jan de Montmajour... *Micromégas*... *Tartuffe*...Turner, non, pas celui-là...

— Je ne vois pas l'importance de choisir un livre en particulier, ajouta Harry toujours engourdi.

— Tout a de l'importance, Harry, vous le savez bien. La vie est faite de détails qui n'en sont pas.

— C'est peut-être vrai, répondit Harry en se levant péniblement.

— Regardez ! Il y a même *Les aventures d'Arthur Gordon Pym.*

— Vous cherchez un livre en particulier ?

— Non, pas vraiment, répondit vaguement Spencer. Nous allons prendre...attendez...non, pas celui-là... *Spirite* de Théophile Gautier, il fera parfaitement l'affaire.

— Et pourquoi, Spencer ?

— C'est l'histoire d'une femme qui existe et qui n'existe pas ; il sera parfait.

— En effet, c'est très clair, il devrait nous aider, dit Harry un peu dépassé par la tournure des événements.

L'œil de l'éléphant, luisant de nacre, ne fut jamais aussi clair, aussi perçant, aussi vivant. Depuis plusieurs décennies, le Kilim s'était échoué sur les lattes du salon Mauve, loin, très loin de sa petite échoppe du Caire, à quelques lieues de la vallée de Biban-el-Molouk.

— Si vous dites qu'il vaut mieux faire tomber *Spirite*, dit-il pas vraiment convaincu, alors prenons *Spirite*.

— Votre Tati ne vous a-t-elle pas dit qu'il faut toujours placer un roman sur une corniche de bibliothèque pour savoir la vérité ?

— Non, pas vraiment, elle était plutôt du genre à raffoler des romans en verre avec un goulot à l'extrémité. De ce point de vue, elle était très cultivée.

— Écoutez, je vais placer *Spirite* sur la bibliothèque et demain, dès la première heure, nous saurons si le passage a été utilisé.

— Comptez sur moi pour le laisser à sa place, dit Harry, je ne suis pas prêt de retourner dans ce gouffre. La prochaine fois que nous reviendrons ici, promettez-moi de ne pas reprendre ce passage sordide.

Harry releva la tête et mit sa main sur le menton :

— Je me demande à quoi peut bien servir un passage sordide sinon à faire des choses sordides ?

Spencer le regarda fixement, les yeux lumineux. Puis Harry continua :

— Vous savez, Spencer, on prétend souvent que la vie est un passage, mais la vie ne pourrait-elle pas ressembler à notre passage secret ?

— Que voulez-vous dire, Harry ? J'ai l'impression que vous venez de dire une parole profonde, mais je serais bien incapable de dire pourquoi.

— C'est drôle ! J'ai eu la même impression que vous.

Un silence respectueux s'imposa dans leurs regards. Francs et complices. Puis Harry continua :

— Eh bien, je crois que chacun d'entre nous, tout au long de sa vie, plante le décor qu'il souhaite. Une prairie, un tunnel, un piano, un coffre-fort. On invente des personnages, de la convivialité, de l'amour, du respect, de l'estime, de l'affection ou au contraire de l'égoïsme, de la mesquinerie, de la jalousie, ou de l'amertume. Et la vie joue fidèlement le spectacle que vous avez préparé. La vie est infiniment juste, elle ne fait jamais de cadeaux. Ce couloir diabolique ne peut que nous envelopper dans sa laideur et nous transformer en monstres, en êtres assoiffés d'argent, de petitesses, de bassesses. Il faut savoir le dépasser.

Spencer regarda fixement Harry qui venait de mettre des mots simples sur l'impression qu'il avait eue.

— Harry, dit solennellement Spencer, vous faites toujours semblant de ne rien comprendre, mais vous avez compris l'essentiel, vous avez compris la vie.

— Je ne sais pas, mais si j'ai raison, je suppose que ce passage ne doit pas intéresser grand monde de fréquentable.

— Et pourtant, il est fréquenté régulièrement, répondit Spencer brutalement.

— Comment ! s'exclama Harry qui avait retrouvé son allant.

— Je ne voulais pas vous alerter, mais le tunnel est fréquenté. J'ai observé des traces récentes de cire fondue sur le sol. Regardez, même ici, dit-il en montrant le guéridon, il y a quelques gouttes de cire sur cette nappe !

— Vous avez raison ! s'exclama Harry sidéré par la découverte de Spencer. Comment faites-vous pour remarquer tous ces détails, je n'ai rien vu.

— C'est bien naturel, dans l'état où vous étiez.

La réponse ne convainquit pas vraiment Harry, car l'intuition de Spencer frappait à chaque fois avec une exactitude désarmante.

— Mais alors, demanda Harry, cela signifierait-il que des individus se promènent avec des candélabres entre le Savoy et nos apparte...

Harry n'eut pas le temps de finir son mot que Spencer, toujours les yeux rivés sur la bibliothèque, ajouta très lentement :

— Je n'ai pas dit des êtres humains.

— Mais alors ? !

— J'ai simplement remarqué que le passage secret était fréquenté. Vous vous souvenez, hier, l'inconnu qui est passé ici même, en fin d'après-midi ? Il avait des taches de charbon sur ses vêtements trop courts. Et que dites-vous des traces de suie sur les murs tout le long du passage ? Il a dû se tacher dans ce tunnel ?

— Des traces de suie ? Toute cette histoire ne me dit rien qui vaille. Une vraie-fausse lettre d'amour anonyme, un air de musique qui ouvre une bibliothèque, un passage secret qui conduit au salon Mauve, des fantômes qui veulent nous voler nos âmes, le colonel qui se doute de quelque chose, Mrs Kennington qui mène un double jeu. Eh bien moi Spencer, j'ai bien envie de prévenir Scotland Yard, avec leurs méthodes modernes d'investigations je suis sûr qu'ils découvriront rapidement les auteurs de ce petit jeu.

— Vous êtes fou ! s'exclama Spencer, vous voulez que demain le Pall Mall ou le Times titre en première page : « *Messieurs Harry Cunningham et Spencer Byron Westwood recherchent des spectres à Londres* ». Non seulement ce serait attirer inutilement l'attention de nos créanciers et surtout...

Spencer prit le temps de préparer sa chute :

— Ce serait probablement compromettre ma réputation.

Spencer avait appuyé comme il savait le faire sur les derniers mots pour amplifier la portée de sa remarque.

— Qu'entendez-vous par « *compromettre ma réputation* » ? Parfois, j'ai l'impression que vous ne me dites pas tout. Si vous avez une réputation honorable, voire excellente, je serais heureux de l'apprendre et je suis même certain de n'être pas le seul ! Je vous promets que je ne dirai rien à personne, cela restera entre vous et moi.

En prononçant ces dernières paroles, Harry posa son regard sur la robe de chambre de Spencer.

– Comment allez-vous faire pour expliquer votre tenue ?

Spencer avait oublié ce détail, mais il répondit sur un ton très serein :

– J'inventerai une belle histoire. Vous savez bien, Harry, que j'ai toujours rêvé d'écrire une belle histoire.

– Si vous connaissez une belle histoire, n'hésitez pas, vous pouvez me la raconter maintenant, j'adore les belles histoires ! Sera-t-il question de l'Ogre des Cornouailles ou du Capitaine Cortes Eça de Balsemão ?

– Je ne voudrais pas vous contrarier, très cher Harry, mais il est fort probable qu'à cette heure-ci, l'Ogre des Cornouailles ou le Capitaine Cortes surgisse d'un instant à l'autre pour vérifier que nous n'avons besoin de rien ! Il ne faut pas perdre de temps.

– Pour moi, c'est très simple, je prendrai un peu de thé avec quelques gâteaux secs, et vous ?

– Je vois que vous avez retrouvé vos moyens, Harry, vous semblez au mieux de votre forme.

Soudain, Spencer retint sa respiration, les yeux perdus dans le gris du salon.

– Écoutez ! dit-il un doigt sur les lèvres.

En effet, un bruit de pas, léger et régulier rompit le silence. Il montait les escaliers avec assurance et détermination.

XIV

– On vient ! s'exclama à voix basse Harry très intrigué.

Spencer ne parut pas aussi surpris que Harry. Visiblement cette visite nocturne ne semblait pas l'émouvoir.

– Vite, murmura Spencer, prononçons quelques paroles intelligentes pour ne pas attirer l'attention sur nous, c'est sûrement la meilleure façon de donner l'impression qu'il ne se passe rien d'intéressant.

– Vous avez raison, Spencer, une parole intelligente est toujours profondément ennuyeuse, c'est d'ailleurs à cela que l'on reconnaît une parole intelligente, n'est-ce pas ?

Spencer se rencoigna dans le sofa tandis que Harry, dos tourné à la porte, fouilla dans ses poches de pantalon pour trouver son étui à cigarettes. Spencer prit un air très dégagé, presque absent, le menton assez haut de sorte qu'il pouvait aborder tous les sujets de société sans prendre le moindre risque. Il aimait se faire passer pour un autre, mais à dose très légère, car il savait que le vaccin pouvait devenir très vite poison.

Sur un ton lisse, Spencer prit la parole à haute voix :

– *Vous saviez, Harry, que la propension moyenne des populations rurales à conserver leur caractère propre est toujours inversement proportionnelle au désir des populations périurbaines à évoluer vers des tâches nobles ? Toutes choses égales par ailleurs, bien sûr.*

La porte d'entrée grinça sourdement, mais ni Harry ni Spencer ne montrèrent aucun signe d'intérêt. Harry répondit en allumant sa cigarette, sur le même ton :

– *À vrai dire, je m'en doutais un peu. Mais je vois que vous avez l'art de dire tout haut ce que peu de personnes n'avaient jamais osé penser tout bas, voire ne jamais penser du tout !*

Harry se retourna machinalement pour saluer le majordome. Mais, oh surprise ! Sur le seuil de la porte, une paire d'yeux audacieux apparut discrètement. Un homme, le visage ardent et les épaules bien charpentées se tenait hésitant, une gabardine sur le dos et une grande moustache rousse sous son nez. Il ne pouvait plus faire demi-tour, Harry l'avait reconnu.

– Colonel ! Vous ici ? s'exclama Harry pris au dépourvu en même temps que Spencer se redressa.

La moustache du colonel s'agita fébrilement par petits à-coups incontrôlés.

– Oui, c'est moi, dit-il très gêné, je suis avec Lady Oxblow.

– Je vous croyais à Leicester Square ou même à Marylebone station à cette heure-ci, dit aussitôt Spencer en se levant, mais le ton n'était pas à la surprise.

– Mon menuisier avait déjà fini son travail, il n'a plus qu'à poser les poignées, dit aussitôt Lady Oxblow.

Le colonel enchaîna :

– Et le Général Cardigan semblait pressé, très pressé. Sa secrétaire, qui l'attendait également sur le quai, tenait absolument à lui faire part d'une situation *brûlante*. C'est pour cela qu'il m'a donné congé sur-le-champ.

Le colonel avait prononcé le mot « brûlante » en français pour donner plus de corps à ses propos.

– Eh bien, nous, dit Harry un peu confus, nous sommes revenus... pour éclaircir...

– ...pour éclaircir un point de détail qui nous tenait à cœur, déclara Spencer. Harry me soutenait que le Robinson Crusoe de la bibliothèque du salon est une version traduite en français. À défaut de prendre part au sweepstake de l'hôtel, on a misé chacun sept Livres et deux shillings et bien sûr, nous n'avons pas pu attendre. Il fallait que nous sachions. Et j'ai gagné.

– Bravo Spencer, dit le colonel sans vraiment d'enthousiasme, car Spencer avait manqué d'un peu de conviction dans son mensonge.

– En fait, ajouta Lady Oxblow, comme nous avons fini nos devoirs plus tôt que prévu, nous vous cherchions, car en passant chez le colonel, la gouvernante nous a appris... je peux le dire colonel ? dit-elle en se tournant vers lui les yeux pleins de promesses.

– Bien sûr, Lady Oxblow.

– Eh bien, notre ami est pressenti pour la Victoria Cross.

– La Victoria Cross ! reprit Harry impressionné.

– Ce n'est pas officiel, attendons un peu, ajouta modestement le colonel, en lissant ses moustaches qui n'avaient pas attendu pour se redresser.

– Nous nous sommes fait voiturer jusqu'à Paddington Street pour vous prévenir, mais vous étiez déjà sortis.

– Vous avez vu Andrew ? demanda Spencer.

– Non, justement, personne n'a ouvert. Nous vous avons glissé un petit mot sous la porte.

– C'est étrange, dit Spencer, je me demande où il est passé. Il a dû jouer avec les squelettes. Pourvu qu'il n'ait pas touché à la vipera cornu.

– C'est la plus fragile ? demanda Lady Oxblow.

– Non, c'est la plus dangereuse, elle peut conserver du venin plusieurs mois après sa mort, répondit Spencer.

– Quelques seizièmes de goutte suffisent à tuer un phacochère ou un mouflon, précisa Harry.

– C'est intéressant ! s'exclama le colonel, puis Harry ajouta :

– J'ai remarqué que deux cent vingtièmes de goutte suffisent à soigner définitivement un professeur de mathématiques.

Un silence suspect s'installa. Harry fut contraint de s'expliquer :

– Je dis ça à titre d'information, bien sûr ! dit-il en levant les bras pour plaider non coupable.

– Enfin, ce qui importe, dit Spencer en jetant un œil de reproche à Harry, c'est votre distinction, colonel. Voilà une récompense vraiment méritée. Dans la vie chacun porte la croix qu'il mérite, n'est-ce pas très cher Harry ?

– Je ne veux pas vous faire d'ombre colonel, répondit Harry un sourire malicieux au creux des lèvres, mais je crains que la mienne ne soit bien plus grande à porter.

– Vous voulez dire bien plus *lourde*, précisa Spencer.

– Alors, c'est moi qui vous félicite ! répondit le colonel.

En prononçant ces paroles, Lady Oxblow et le colonel aperçurent la robe de chambre de Spencer.

– Mais, Spencer, balbutia Lady Oxblow, que faites-vous en robe de chambre ?

Spencer ne fut nullement décontenancé. Il laissa glisser ses yeux sur sa robe de chambre, puis il ajouta très sereinement :

— Lady Oxblow ! dit-il, aujourd'hui, en Amérique, toutes les personnes dignes d'intérêt portent une robe de chambre passé six heures trente de l'après-midi, vous ne le saviez pas ?

— Quelle heure est-il ? demanda Lady Oxblow très intéressée.

Harry sortit sa montre de son gousset et énonça très clairement :

— Il est exactement dix heures, cinquante-sept minutes et douze secondes, treize, quatorze, quinze, seize, dix-sept, dix-huit, dix…

— Merci, Harry, c'est très gentil, interrompit Lady Oxblow, puis elle continua :

— Alors, vous avez raison, Spencer ! Mais pourquoi cette charmante coutume n'est-elle suivie que par vous en Angleterre ?

— Pour montrer l'exemple, Lady Oxblow ! Les grands progrès de l'humanité ne sont réalisés que par une poignée d'hommes ou de femmes en avance sur leur temps.

— Mais jamais sur leur montre ! osa Harry. Moi, j'attends la mienne de Paris depuis plus de deux mois. Et vous, colonel ?

— J'avoue que j'ignorais cette tradition du Nouveau Monde, encore une preuve de l'infinie supériorité des Américains sur nous. Je sais que cette tradition est bien suivie dans tous les hôpitaux de Londres, y compris à Bedlam et à l'asile de Broadmoor, mais je ne me doutais pas que nos compatriotes avaient pu l'exporter si loin. Ce doit être difficile de monter à cheval avec une robe de chambre, même après six heures trente de l'après-midi !

Spencer n'hésita pas un seul instant, il fallait faire bonne figure afin de détourner l'attention du colonel et de Lady Oxblow de la bibliothèque et du passage secret :

— Pas avec des robes de chambres américaines ! C'est une question de pratique et de tenue. C'est un peu comme rendre la Justice avec une perruque. Dans la grande majorité des cas, les démangeaisons durent rarement plus de dix ans. C'est le juge Lord Craventhrill qui me l'a confié le jour où il rendait son verdict dans l'affaire des professeurs de mathématiques impliqués dans le détournement de cellules cérébrales.

— Mais alors, Spencer, interrogea Harry en tirant une nouvelle fois sur sa cigarette, c'est probablement pour cela qu'en Angleterre la Justice est particulièrement expéditive aujourd'hui. Avec des bonnets de nuit, je suis sûr que la Justice serait mieux rendue.

– Quelle belle époque nous vivons ! s'exclama Lady Oxblow. Et avec vous, Spencer, il ne se passe pas un instant sans qu'un événement d'une portée considérable pour l'humanité ne se produise !

– Et je voudrais faire tellement plus ! regretta Spencer en levant les mains.

– Et moi, tellement moins ! dit Harry. Ce n'est vraiment pas facile d'être tous les jours en avance sur tout ; sur ses revenus, sur la beauté… il y a des jours on se sentirait presque… pauvre et laid !

– Ne prêtez pas l'oreille à ceux qui vous envient, reprit Spencer. Il faut vivre chaque journée comme si c'était la dernière…

– …et chaque nuit comme si c'était la première...

La réplique de Harry, dont il semblait très fier, l'autorisa pour quelques instants de bonheur, à onduler mollement son pantalon très ample en signe d'autosatisfaction.

Pour célébrer sa repartie, le hasard sonna les onze heures si lentement que les esprits se perdirent dans la méditation romantique de ses propos. Lady Oxblow prit cette échéance comme l'ultime concession à ses errements nocturnes en même temps que le pantalon de Harry cessa de faseyer.

– Il est bien tard mes amis, surtout pour moi, dit-elle en lustrant sa robe sur ses hanches qu'elle plaçait souvent en premières lignes, simplement pour faire baisser quelques mentons trop prétentieux. Mais devant Spencer et Harry, il ne s'agissait que d'un réflexe qu'elle conservait malgré elle.

– Vous avez raison Lady Oxblow, renchérit le colonel, j'ai un programme chargé demain. Il faut que je prépare quelques questions à poser au Général. À sa descente du train, je n'ai même pas pu lui dire deux mots. Et vous savez, le Général Gardigan déteste répondre aux questions dont il ne connaît pas précisément les réponses. Il est l'heure de rentrer. Viendrez-vous prendre le thé au Savoy demain ?

Spencer et Harry inclinèrent la tête comme un seul homme pour ne laisser aucun doute, puis Spencer ajouta :

– Oui bien sûr, comme d'habitude, mais nous non plus nous n'allons pas tarder.

– À demain, ajouta Lady Oxblow.

– À très bientôt, dit Harry en les raccompagnant sur le seuil de la porte.

La porte se referma laissant Harry et Spencer seuls dans le salon Mauve. Harry souffla de soulagement, il avait réussi à cacher son calvaire. Alors qu'il tenait encore la poignée, il marqua un temps d'hésitation avant de se retourner. Des pensées lui revinrent en mémoire, froides comme la nuit qui s'abattait sur Londres.

XV

L'air alangui, Harry s'avança vers la cheminée à pas dociles, le regard contrit de remords coupables. Même si la pénombre masquait encore sa nonchalance affectée, son profil grimaud, durci par le halo de lumière, ne pouvait plus cacher le souvenir de l'horrible tunnel qui ne le lâchait plus au point de lui faire perdre le fil de ses pensées. Le dédale vicieux l'avait en fait touché beaucoup plus profondément qu'il ne l'avait cru un instant. Sa fièvre retombée, il comprenait combien l'influence perverse de ce passage secret avait broyé en lui toute humanité. Il s'adressa à Spencer avec un accent d'épave dans la voix :

— La tournure des événements ne me plaît guère.

— Vous avez tort, Harry ! énonça Spencer le visage voluptueux. Bien au contraire, nous progressons.

Un silence de réflexion pour Spencer répondit aux doutes chagrins de Harry. Comme s'il fallait donner du corps à l'action de sa pensée, Spencer entama une marche circulaire qui ressemblait de près à celle de Harry écoutant Mozart. Le dos courbé et les yeux perdus dans un vide sans fond, il sillonnait sans relâche le salon Mauve en suivant les figures du tapis. Il piétina par deux fois un cornac coiffé d'un turban bleuté avec une conviction soutenue, et plus il cherchait, plus le salon s'évanouissait dans un demi-jour feutré par la lueur d'un feu à l'agonie, de deux timides appliques et d'une petite chandelle perdue.

Spencer s'arrêta net devant le Ghoum suspendu, il releva la tête lentement, avec l'œil béant de l'éléphant dans son dos. Soudain le Ghoum, assoupi de teintes grises et noires, lui éclaira l'esprit. En un éclair, un trait pétillant lui transforma le regard en une expression idolâtre :

— Il faut agir vite ! Il faut agir très vite ! répéta Spencer, les yeux plissés par le bon sens, il ne faut pas être en retard sur notre destin !

— Il faut partir vite ! reprit Harry en tirant les rideaux pour vérifier qu'ils n'étaient pas surveillés.

Spencer se retourna dans un soubresaut nerveux et se précipita vers le sofa avec une excitation électrique. Drapé par les reflets des dernières braises mandarine, le canapé l'accueillit avec une profonde et confortable douceur. Toujours concentré dans le train de pensées qui voyageait en lui, il s'adossa mollement aux coussins.

Harry le dévisagea. L'œil farouche, il espéra une phrase, une parole, mais ce fut un grondement étouffé. Les doigts de Spencer, si fins, si délicats, s'agitèrent avec une prodigieuse agilité de sorte qu'ils firent résonner sourdement, en petits échos mats, les accoudoirs doublés de canepin tendu comme les sabots des chevaux en fuite.

Puis, le tam-tam de ses doigts prit un rythme plus lent et plus irrégulier ; ils se crispèrent en même temps qu'il adressa un regard plein de jouissance à Harry.

— Harry, il faut reprendre le cours des événements avec la plus grande sagesse, nous sommes sur la bonne voie.

— Si nous rentrions à Paddington Street, sans prendre la fuite bien sûr, nous pourrions débrouiller l'écheveau avec beaucoup de sagesse ! Il se fait tard, il ne doit pas être loin de minuit, dit-il en se frictionnant les avant-bras.

— Harry, vous allez être a-ba-sour-di ! dit-il en articulant chaque syllabe.

— Être abasourdi ! gémit-il, je préférerais être à Pad-dington ! répondit Harry sur le même ton.

— Écoutez, Harry, nous sommes tout près du but, comment ai-je pu douter ? !

— Misère !

— C'est incroyable, nous allons enfin découvrir l'incroyable !

— Triple misère !

— Faites-moi confiance, Harry, je vais essayer d'expliquer toute cette histoire.

— Moi, je vous dis que je préférerais être professeur de mathématiques en ce moment, au moins le ridicule ne tue pas, enfin... pas toujours !

Spencer se raidit, pris dans la glace de cette idée glaciale. Même une longue mèche de cheveux, pourtant souvent désinvolte, se crispa instantanément.

— Vous n'êtes pas sérieux, Harry, je suppose ?

— Bien sûr que non ! dit-il exaspéré, mais reconnaissez qu'il se passe des choses étranges qui ne me font pas rire du tout.

— Je préfère, Harry, vous m'avez fait peur, il y a des sujets sur lesquels il vaut mieux ne pas plaisanter.

— Je sais ! ajouta-t-il désabusé avant de s'affaler dans le sofa à côté de Spencer. Puis il murmura comme par consentement :

— Allez, Spencer, dites-moi ce que vous avez compris, je meurs d'envie d'être a-ba-sour-di. Moi qui ai toujours rêvé d'être abasourdi dans mon lit, en plein sommeil, à un âge très avancé, et enfin célèbre !

— Eh bien, voilà. Vous vous souvenez dans ce salon, hier après-midi, cette bibliothèque, si grise, si discrète qui allait devenir citron flamboyant puis rouge de garance ?

— Oui, Spencer, je m'en souviens, dit-il à contrecœur en détournant la tête.

— Et puis ces ombres furtives qui voyageaient de livre en livre jusqu'à l'instant où notre inconnu, habillé de vêtements trop étroits, s'est glissé dans le salon comme un crapaud dans une chaussure.

— Un crapaud dans une chaussure ?

— Il venait pour prendre le passage secret.

— Co… comment ! s'esclaffa Harry, le crapaud dans le passage secret !

— La lettre qui était destinée au colonel, une lettre d'amour Harry ! Vous avez vu sa réaction : « *Ce qui compte, c'est que vous ayez passé des moments inoubliables* », a-t-il dit, il paraissait si distant, il n'exprima aucun intérêt, pas même un sentiment hormis la supposition de ne pas avoir savouré une œuvre littéraire. Et je ne vous reparle pas de cette affaire de toiles de Maître dans les souterrains !

Harry ne voulut pas en entendre plus, son esprit s'illumina en un éclair. Il réalisa que les toiles devaient se trouver dans un souterrain comme celui qu'ils venaient de prendre et surtout que le colonel et Lady Oxblow n'étaient pas étrangers à toute cette histoire.

— Mais, Spencer, dit-il, Lady Oxblow et le colonel, à votre avis, ils sont…

– Ils savent tout, ou plutôt presque tout, il doit leur manquer un petit détail cependant, un petit détail que nous, nous avons.

– Que voulez-vous dire ?

– Nous connaissons au moins deux issues du passage secret, mais nous ignorons où il mène.

– Il mène au salon Mauve du Savoy Hotel, c'est évident puisque nous y sommes.

– Exact, mais il doit conduire dans un autre lieu. D'ailleurs, le tunnel continue, et Dieu merci, vous vous êtes évanoui juste devant le passage secret.

– Merci pour ces félicitations, mais je ne vois pas l'intérêt de ce tunnel inhumain. Je préfère mille fois passer par Marylebone Thayer Street et prendre par Regent Street, c'est bien plus court.

– C'est tout un labyrinthe, Harry. La bibliothèque bleue communique avec ce salon et très probablement avec d'autres salons ou d'autres lieux mystérieux. Et je vais vous dire très cher Harry : Andrew est probablement…

– Pas lui ! Ne me dites pas qu'il est dans le coup !

– Je crois bien que si, répondit froidement Spencer. À ce propos, j'aimerais bien lui dire deux mots, je crois qu'il me doit quelque chose.

Harry se redressa avec ferveur et entama une marche désopilante qui pouvait s'apparenter à celle d'un chameau rhumatisant à la recherche de sa chamelle préférée, mais vu de dos bien sûr.

– Un dégénéré du Staffordshire ! Pas plus éveillé qu'une marmotte en février ! Avec un accent d'huître au jusant ! Vous plaisantez Spencer, un gastéropode à deux pieds surmonté d'une anémone de mer comme visage ne peut pas être à l'origine de toute cette organisation !

– Souvenez-vous avec quel talent il dansait, c'est vous qui l'avez observé. Et ses connaissances en art oriental, vous vous souvenez, les hellébores du cochon sur le tapis de l'entrée, il n'a pas pu l'inventer.

– Chut ! Écoutez ! Spencer.

– Qu'y a-t-il, Harry ?

– J'ai entendu une voix qui disait : du Port, du Port !

– Désolé, je n'ai rien entendu, Harry. Et puis, s'il avait tout inventé, ce serait signe d'esprit. Vous ne pensez pas, Harry ? Je pense que pour un mollusque, c'est plutôt une performance troublante.

– Mais enfin, Spencer, le mouflon, c'était lui ! Son œil glauque et sa bouche pâteuse pleine de dents en or. Enfin Spencer ! Comment pouvez-vous imaginer qu'il soit le chef d'orchestre de tout cet imbroglio abscons ?

Spencer regarda Harry le sourcil un peu plus haut qu'à l'habitude. *L'imbroglio abscons* avait fait mouche, car le dernier mot sonna avec brutalité, surtout vers la fin. Mais Spencer, peut-être par orgueil, fit mine de ne pas relever, comme tout gentleman l'aurait fait. Cependant il garda en mémoire cette chute pour solder les comptes le moment venu. Il répondit à Harry en abaissant son sourcil pour montrer qu'il n'avait quand même pas dit son dernier mot :

– Mais alors, comment expliquez-vous qu'il s'acharne à toucher tous les objets : les pistolets, les machettes ? Ne cherchait-il pas un moyen d'ouvrir un passage ? Il dansait dans mon bureau, comme par hasard, juste à côté de la bibliothèque bleue. Je parierais quinze livres qu'il connaît très bien le colonel, de cela je suis persuadé.

À chaque question qu'il formulait, Spencer jetait des regards en coin vers Harry pour mesurer la progression de son esprit comme s'il voulait ne pas brûler les étapes de sa prise de conscience. Il poursuivit avec prudence :

– Ne sont-ils pas venus ensemble nous rendre visite à Paddington ? Même Mrs Kennington connaît très bien le colonel, elle ne s'en est pas cachée. Il fallait qu'elle retrouve la lettre qui était destinée au colonel, car la lettre a sûrement un sens. Dès qu'elle en a repris possession, elle est devenue charmante, presque agréable, comme si elle remettait la main sur une clé égarée. Vous voyez, ils se connaissent tous et je suis sûr qu'ils se fréquentent régulièrement.

Spencer regarda Harry en dessous avant d'ajouter :

– Tout cela peut vous apparaître sibyllin et même *abstrus*, mais il faut l'admettre comme très probable.

Une effusion de doutes et de respect submergea Harry, contraint de reconnaître que Spencer avait vu juste et que les comptes étaient désormais bien soldés. Il avait pensé à tort qu'*abscons* pouvait lui permettre de garder un avantage largement au-delà de deux minutes, mais c'était sans compter sur la pugnacité de Spencer qui, comme tout bon sujet de Sa Majesté, aurait coupé en deux un professeur de mathématiques simplement pour sauver son honneur. *Abstrus* avait sonné plutôt bien, surtout la première syllabe, mais somme toute un peu moins bien sur la fin, quoi qu'avec un peu d'imagination grivoise *abstrus* pouvait devenir excellent. Seulement voilà, Spencer n'était pas poète.

– Je suis persuadé que Lady Oxblow, le colonel, Mrs Kennington et Andrew cherchent le même secret, dit Spencer très pensif.

– C'est incroyable ! s'exclama Harry, les lèvres sibilantes.

– Attendez, ce n'est pas tout. Lorsque le Colonel et Lady Oxblow sont venus ce matin pour avoir des nouvelles de ma santé, je suis sûr qu'ils venaient pour le passage, comme tout à l'heure d'ailleurs. Je veux bien croire à la Victoria Cross, mais de là à se précipiter à Paddington et ensuite au Savoy pour nous avertir malgré l'heure avancée, j'avoue avoir des doutes sur leurs véritables intentions.

– Vous avez raison, dit Harry subjugué, puis il ajouta :

– Pour ma part, si je recevais la Victoria Cross, je crois que je…

– Harry, dit posément Spencer, je crois que c'est une hypothèse absurde, vous ne croyez pas ? Imaginez plutôt ce que vous feriez si vous receviez un mandat d'amener.

– C'est très amusant, Spencer, toujours est-il qu'ils connaissent tous cet autre monde.

– Effectivement, ils connaissent l'existence d'un autre monde, mais ils ne savent pas comment s'y rendre.

– Mais alors, pourquoi un inconnu nous a adressé la partition sans laquelle nous n'aurions jamais trouvé le passage derrière la bibliothèque bleue ?

– Là, Harry, je ne peux pas encore vous répondre.

– Alors, pourquoi faut-il traverser cet égout infâme qui vous donne les pires fièvres entériques et les pires sentiments diaboliques ?

– Il le faut, ce doit être un peu comme dans la vie, répondit brutalement Spencer, je suis sûr que vous ne le regretterez pas.

Spencer plongea dans ses pensées avec un sourire ambitieux qui révéla une profonde jouissance d'autant plus présente qu'il sentait Harry prendre progressivement le chemin qu'il traçait. Petit à petit, depuis sa venue au salon Mauve la veille, un chemin fait d'impossible et d'irraisonnable serpentait désormais dans leurs âmes. Il n'y aurait rien eu qui puisse donner une quelconque importance à ces phénomènes s'ils n'avaient pas été objectivement terriblement réels.

Harry sortit machinalement sa montre de son gousset, pour trouver une alliée.

– Il est presque minuit, Spencer, il est grand temps de rentrer.

– Quel jour sommes-nous, Harry ?

– Jeudi, je crois. C'est le jour où les salons du Savoy ferment plus tôt.

– Est-ce le deuxième jeudi du mois ?

– Oui, nous sommes le jeudi treize…

– Nous sommes le treize ! interrompit Spencer étonné.

– Oui, le treize, jeudi treize, puisque nous étions le deux il y a presque onze jours, c'est logique.

Le regard de Spencer s'évada une nouvelle fois dans des pensées mystérieuses, puis il déclara avec un ton de certitude :

– S'il se trame quelque chose en secret, Harry, ce sera ce soir !

– Ce soir ? Mais ils ne vont pas tarder à fermer les salons !

– Nous allons voir, Harry, il suffit de rester ici, bien cachés, nous serons les premiers témoins des étranges phénomènes.

Le visage de Harry se fronça sauvagement alors que ses yeux se firent surprendre par l'annonce audacieuse de Spencer.

– Vous ne voulez pas dire que nous allons nous cacher dans ce salon toute la nuit et peut-être même jusqu'à demain ? J'ai encore mille choses à faire jusqu'à l'aube ! dit-il d'une voix perdue en agitant son pantalon.

– Du travail ? demanda suspicieux Spencer.

– Non ! Mais il faut absolument que je finisse « *Les cadavres de Mummy Suzette seront privés de goûter* », un conte pour enfants en trois chapitres que j'ai promis pour la fin du mois au Lippincott's Magazine et au London Society. Et vous le savez bien, je ne trouve l'inspiration qu'après le coucher du soleil.

– Vous en êtes à l'épilogue ?

– Presque, il ne me reste plus que les trois derniers chapitres à écrire.

– Eh bien, il faudra attendre encore un peu pour connaître le dénouement de votre histoire. Je compte sur vous pour qu'elle finisse bien, n'oubliez pas que c'est un conte pour enfants.

— Évidemment. Après bien des péripéties, les cadavres finiront par se prendre par la main. Ils prendront leur goûter en faisant une grande fête avec tous les enfants du village et tout ce petit monde s'embrassera chaleureusement. Mais je réserve cet attendrissant tableau final pour le tout dernier paragraphe.

— Vous me rassurez, Harry, il faut toujours ménager la sensibilité des jeunes âmes. Vous vous souvenez du tollé qui avait suivi « *Les cadavres s'entre-tuent* », je crois me souvenir que les enfants n'avaient pas du tout apprécié que vous ressuscitiez un cadavre de la bande ; les enfants ont souvent beaucoup plus de cœur que les adultes, ils ne supportent pas l'injustice.

— C'est vrai. Je dois admettre que l'image du cadavre qui recouvre la vie les a beaucoup choqués. J'avais un peu trop forcé sur l'épouvante ; le cadavre avait des joues roses, les yeux bleus et de longs cheveux miel.

— Effectivement, vous n'avez pas fait dans le détail ! Harry, n'oubliez jamais que les enfants sont vos premiers lecteurs.

— J'en ai encore des frissons quand je parcours ce passage sordide, mais je voulais tellement bien faire !

— Quant à nous, très cher Harry, je prends les paris. Cette bibliothèque ne va pas rester longtemps immobile.

— Mais nous avons posé *Spirite* sur la corniche, demain nous saurons si le passage secret a été utilisé. Maintenant, nous pouvons rentrer.

— Oui, mais je crois bien qu'il va se passer des choses cette nuit et peut-être même à minuit précise, si bien sûr nous sommes jeudi treize.

Harry fut pris d'une panique très contenue, mais somme toute bien visible que trahit, une nouvelle fois, le gonflement erratique de son immense pantalon. Harry avait cette faiblesse : son pantalon trahissait toujours sa pensée, un peu comme les joues des jeunes filles qui s'empourprent un peu lorsqu'elles ne pensent pas ce qu'elles disent et beaucoup dans le cas contraire.

— Quelle heure est-il ? demanda Spencer.

— Il est trop tôt ! Il est trop tard ! Il faut rentrer. Voilà l'heure qu'il est, exactement, grommela Harry qui devinait parfaitement la suite des événements.

— Harry, cessez de vous comporter comme une pleutre otarie languissante se traînant sur la lande de Chiddingfold à la recherche d'un banc de morues. À tout bien considérer, que risquons-nous ?

– Moi ! Une anguille sur un banc ! rétorqua Harry qui avait à peine écouté Spencer. Vous avez la mémoire courte ! Nous allons subir des accès de fièvres infernales puis nous serons transformés en professeur de mathématiques ou, si le bon Dieu veut bien nous accorder sa miséricorde, nous serons tout simplement écartelés pour que le diable puisse jouer de la cornemuse avec nos poumons si fragiles et de la guimbarde avec nos tendons si...

– Merci Harry, pour votre encouragement, je crois que nous formons une bonne équipe tous les deux. Je vais mettre un peu de cendres sur les braises. S'il vous plaît, éteignez la chandelle et tirez les rideaux.

Aussitôt un nuage de charbon pulvérulent se gonfla dans l'âtre alors que Harry fermait les robinets des appliques avec le zèle d'un condamné à mort vérifiant l'état de son échafaud.

Les tentacules noirs d'un clair-obscur envahirent le salon Mauve. Seuls quelques morceaux de braise framboise respiraient doucement ensevelis sous un voile de cendre grisâtre. On entendit au loin le carillonnement de grelots ponctué par le faible feulement du souffle des rafales de vent dans les fentes des fenêtres fendues. Un calme absolu, presque mortuaire, pesa sur le salon. Toutes les couleurs avaient disparu sous les ombres envahissantes de la nuit. Le sofa sommeillait en gris tout comme les lourds rideaux en vert sombre chahutés par le grain de la tempête. Dans les profondeurs du parquet sans fond, le Kilim se perdait englouti dans le vide, il avait disparu.

Harry jeta un dernier regard entre les deux rideaux, mais la vue de Savoy Street, quelques minutes avant minuit un soir d'hiver glacé où le mercure barométrique devait bien être passé sous les trente pouces, ne lui donna aucun espoir.

Spencer perçut l'inquiétude qui s'insinuait dans ses pensées. Il pensa que le moment était propice pour agir.

– Le chasseur devrait passer très bientôt, Harry, comme il le fait tous les soirs avant de fermer les salons. Cachons-nous.

Après un très rapide coup d'œil circulaire, il devint très vite évident que l'embrasure de la fenêtre, protégée par les immenses rideaux épais, serait la meilleure cachette pour surveiller la bibliothèque.

— Des tunnels ! Des ombres ! Tati ! Tati ! murmura Harry abattu.

Sans conviction, Harry imita Spencer en se glissant derrière les rideaux. Ils restèrent ainsi quelques secondes, droits et silencieux, le nez dans le velours et les oreilles grandes ouvertes.

— Quelle heure est-il, Harry, s'il vous plaît ? chuchota Spencer.

— Je ne vois rien, il fait trop sombre, même avec les feux de la rue je ne vois presque rien, répondit Harry d'une voix inaudible.

— Faites un effort, Harry !

— Pas loin de minuit, je crois.

Harry avait murmuré le plus doucement possible. Il n'osa ni regarder Spencer ni surveiller la porte d'entrée qu'il pouvait apercevoir en inclinant la tête. Ces dernières paroles se perdirent dans le salon vide et obscur et tournèrent dans son esprit en boucle fermée.

Big Ben n'avait pas encore sonné, mais il semblait évident que ses coups allaient tomber d'un instant à l'autre.

— Spencer !

— Oui, Harry !

— Rien.

— Comment, rien ?

— J'ai peur. J'aurais dû rester avec Andrew. Je suis sûr qu'il doit prendre un bon thé devant la cheminée en lisant le Daily News, les derniers rebondissements dans l'affaire du Conqueror, en page quatre. Il doit fumer un cigare « al fresco » ou peut-être même une bonne pipe avec le Magaliesburg que je vous ai offert, bien calé dans une bergère.

Harry marqua un temps d'arrêt, sans bouger, puis il ajouta d'une voix plus assurée, mais toujours étouffée :

— Seulement, s'il trouve la boîte de gâteaux, nous sommes perdus, je les ai comptés, il en restait vingt-quatre avec une demi-cerise confite et douze scones. Je vérifierai s'il n'en manque pas.

— Vingt-trois avec des cerises confites, reprit Spencer sans tourner la tête.

— Désolé, Spencer, je les ai comptés deux fois, il en reste bien vingt-quatre.

— J'en ai mangé un pendant que vous finissiez votre courrier. Il était délicieux, surtout la cerise, elle était craquante et…

— Grand Dieu ! Vous avez mangé une cerise confite dans mon dos !

— Peut-être, quoique je ne me souviens plus très bien où était votre dos à ce moment précis.

— Traître ! Hippocrate ! Apothicaire ! Hypocondriaque ! Comment avez-vous pu me trahir ainsi ? Je suis passé mille fois à côté de la boîte sans jamais songer un seul instant que vous pouviez lire dans mes pensées… je veux dire que vous pouviez prendre une cerise confite comme un hippopotame…

— Une demi-cerise, n'exagérons rien, Harry, ce n'est pas si grave !

— Mais si ! C'est grave ! C'est même très grave ! Aujourd'hui vous volez une cerise confite et demain ?

— Dans quelques instants je suis sûr que vous aurez oublié la demi-cerise confite.

— Oublier une cerise confite ! Mais pour qui me prenez-vous, Spencer ? dit-il d'une voix amplifiée par la colère.

— Calmez-vous, Harry, je ne *reconsniverai* plus, je vous promets.

— Comment, Spencer ?

— Je vous dis que je ne *recotremserai* plus.

— De toute façon, dès que je serai de retour, et quelle que soit l'heure, je mangerai les vingt-quatre restants, gronda Harry.

— Les vingt-trois restants, Harry. Enfin, si, bien sûr, Andrew n'a pas trouvé la boîte.

Harry lança un regard noir à Spencer tout en se gardant de bouger un pied.

— Si Andrew a mangé le reste des gâteaux, je préparerai personnellement les pistolets et les machettes et nous le laisserons jouer le temps qu'il faudra.

Grâce aux cerises confites, Harry avait oublié le tunnel. Mais très vite, peut-être à cause de son mal de dos toujours aussi fidèle, il se souvint de l'aventure dans laquelle il avait été entraîné malgré lui. Il laissa quelques minutes passer en silence dans le salon endormi, puis il reprit l'initiative :

— À quoi pensez-vous, Spencer ?

— Je pense à ce mystère. Et vous ?

— Je ne pense pas à ce mystère.

— C'est bien, Harry.

— Et quelle est votre conclusion ?

— Je me contenterais de ne rien savoir. Quand j'apprends la vérité, je suis toujours déçu. Je veux reprendre ma plume et mes cahiers, murmura Harry mélancolique.

— C'est pour cela que vous êtes profondément optimiste, Harry. En fait, l'ignorance nous apprend beaucoup de la vie, infiniment plus que le savoir.

— Vous vous flattez, Spencer, parce que ça vous arrange !

— Mais dans le cas présent, intuitivement, je pense qu'il est important de savoir, confessa Spencer.

— Mais à quoi peut bien nous servir de découvrir ce mystère ? Vous aimeriez connaître votre avenir ? Les châtiments qui vous attendent ? Les mystères finissent toujours par de petits faits divers sans importance. Vivons le rêve. Imaginons par exemple que des commis bouchers se réunissent tous les premiers jeudis de chaque mois pour décider en secret du prix de la longe de porc ; ou même, des Juges en retraite, rongés par le remords, viendraient se confesser devant un parterre de forçats innocents. Spencer ! Vous le savez si bien, c'est la conscience qui tue, mais le rêve c'est l'espoir. Alors, pourquoi détruire notre rêve d'un monde meilleur ? Imaginez un seul instant que nous soyons déçus ? Ce serait criminel, je crois bien que j'en mourrais !

— Le monde dont nous rêvons ne mourra jamais parce qu'il est en nous, répondit Spencer, c'est nous-mêmes qui le construisons, qui le façonnons, rien ne pourra le détruire, parce que nous pouvons le protéger, nous sommes invincibles, car il est le fruit de notre imagination. Ce tunnel sordide que nous avons affronté était peut-être le prix à payer pour découvrir le secret. N'oubliez pas Harry, les toiles de Maître, la partition qui ouvre le passage, les couleurs qui vivent comme les livres. Notre monde que nous croyions intérieur est en train de se révéler. Harry ! c'est parce que nous sommes en train de vaincre ce monde de choses, d'argent et de vices que nous sommes ici cachés derrière ces rideaux. Si nous renonçons, nous sommes perdus à jamais. Vous vous souvenez des dernières paroles d'Archibald Vence ?

— Pas lui ! Ne me parlez plus de lui. Vous l'auriez vu avec ses dents noires chaussées de muqueuses violacées toutes couvertes de...

— Vous avez entendu, Harry ?

— Le fiacre dans la rue ?

– Non, tout près, un cliquetis.

En effet, à peine perceptible, un bruit de clés mêlé aux craquements discrets des marches de châtaigniers remontait jusqu'au salon Mauve. Les deux aventuriers restèrent cois, oubliant le fil de leurs pensées et ne songeant qu'à disparaître dans l'obscurité de la nuit.

Le sifflotement un peu lourd d'une comptine du Staffordshire dénonça aussitôt son héraut. Une porte claqua, puis une autre, au son des grincements des vétustes poignées de porcelaine. De plus en plus lourds, les sifflements s'entrecoupèrent de chants désespérés reprenant des vers boiteux sur une harmonie très personnelle qu'Andrew aurait fort appréciée.

La porte du salon s'ouvrit avec vigueur laissant le champ libre à la mélodie dantesque. Walter se dirigea vers le sofa pour remettre les coussins en ordre, puis il versa un peu de cendre éteinte dans un seau en métal. Il balaya les alentours sans ménagement le temps pour le nuage de poussière de le contraindre à un repli salutaire. Tout en tirant de l'une de ses poches un morceau de tissu blanc sous lequel au moins deux ou trois Grenadiers auraient pu dormir à leur aise, il lança un maigre regard circulaire. Les trompes du May-Day, lorsqu'il s'apprête à appareiller pour Liverpool, auraient passé inaperçues à côté du tonnerre que dégagèrent les deux orifices nasaux du chasseur. Walter ne faisait que se moucher. Harry trembla, mais ne bougea pas.

En revanche, une fois repliée la misaine, Walter se dirigea mollement vers les rideaux qui étaient restés très légèrement ouverts. Spencer jeta un regard plein de doute à Harry qui lui promit le silence par une moue complice. Le chasseur referma les rideaux sans se douter que tout juste derrière, deux hommes attendaient autre chose qu'un concert de cor de chasse et de comptines pour sourds et aveugles.

Walter prit le chandelier en verre de Bristol et sortit de la pièce en continuant ses vocalises. Harry et Spencer échangèrent une œillade, le danger était passé. Alors que leur cœur s'était assagi, la Tour envoya un sinistre coup suivi par d'autres, tout aussi terribles. Spencer compta à voix basse :

– …neuf, dix, onze, douze. Harry ! Vous avez entendu ?

– Oui !

– Il est minuit, restons sur nos gardes !

Le salon s'installa dans un profond silence. Le froid s'invita par la fenêtre, très vite rejoint par un vent coulis provenant de sous la porte d'entrée. Il ne restait plus que la Grêle, la Neige et le Vent du Nord à venir, mais s'ils étaient passés rendre visite au salon Mauve en cette nuit glaciale, personne ne les aurait remarqués tant les événements qui suivirent déjouèrent la plus grande lucidité humaine au point de mettre en doute la réalité des faits.

La porte s'ouvrit de telle façon qu'elle ne grinça pas. Les lattes de châtaigniers restèrent muettes, étrangement muettes. Une ombre apparut, très haute et imposante.

Harry se pencha en même temps que Spencer. Une dépression dans leur regard ravagea leurs pensées pourtant audacieuses. Ils se regardèrent avec stupeur, le blanc de leurs yeux écarquillés éclaira l'embrasure de la fenêtre qui sommeillait dans les ocres des becs de gaz de Savoy Street. Il fallut à chacun une immense largesse d'esprit pour admettre qu'ils ne rêvaient pas et qu'ils étaient peut-être bien entre deux mondes. Spencer eut juste le temps de chuchoter :

– Mon Dieu ! Mon Dieu ! Je n'arrive pas à y croire !

XVI

Dressé sur la pointe des pieds, Harry tenta d'apercevoir l'ombre qui s'invitait sournoisement dans le salon. Spencer, lui, posa un genou à terre en évitant de toucher aux rideaux puis glissa son regard par la petite fente. Rien ne pouvait désormais leur échapper, ils étaient aux premières loges.

La porte s'ouvrit largement, une forme massive apparut. Bien que l'obscurité ne laissât rien filtrer, il était probable qu'une main tenait un candélabre. Une silhouette humaine se dessina sur le mur, grande et très voûtée.

Un être vêtu d'une longue robe de bure s'avança sans rompre le silence épiscopal, seul le frottement de la toile épaisse qui léchait le vieux parquet en pointe de Hongrie annonça la visite de l'inconnu. Malgré la bougie en pleur qu'il tenait devant lui, il était impossible de discerner ses traits d'autant que sa capuche le recouvrait parfaitement. La voûte de son dos s'échouait sur une corde à nœuds qui serrait une taille plutôt généreuse. Sans aucune hésitation, le mystérieux visiteur se dirigea vers la bibliothèque noircie par l'obscurité après avoir pris soin de refermer méticuleusement la très haute porte du salon.

Il tenait un paquet qu'il posa sur le guéridon, à côté de son bougeoir. Alors que ses gestes semblaient habituels, presque rituels, il s'approcha de la bibliothèque avec assurance. Il ouvrit les portes grillagées à l'aide de la clé qui était restée dans la serrure tout en balayant du regard les livres disposés sur les trois étagères. Une main apparut à l'extrémité de sa manche prolongée d'un doigt qu'il laissa glisser sur la tranche des livres. Soudain, il s'arrêta sur l'un d'eux. L'inconnu retira délicatement l'ouvrage. Il lui suffit de mettre furtivement sa main dans le coin d'un rayon et aussitôt le fond de la bibliothèque s'effaça devant une ouverture sombre sans fond.

Ébranlé par le mouvement de la bibliothèque, *Spirite* tomba aussitôt de la corniche et vint heurter la tête du mystérieux visiteur. Rarement un roman ne procura autant d'émotion à un homme au point de lui faire perdre ses esprits quelques secondes comme si ses lèvres avaient effleuré une goutte d'antimoine. La tête endolorie qu'il soulageait d'une main, il se redressa de sa génuflexion, pénétré d'idées ténébreuses. Il eut un moment de songe puis trouva un peu de conscience pour remettre *Spirite* à sa place, c'est-à-dire sur la corniche. Sa présence dans le salon Mauve devait rester secrète.

Comme s'il pêchait des grenouilles au crépuscule, il tituba jusqu'au guéridon pour reprendre son paquet et la bougie. Il fit un savant demi-tour en évitant de se prendre les pieds dans la soutane ; cette figure, parfaitement maîtrisée, paraissait avoir été travaillée de longue date ce qui lui donna un cachet chorégraphique très moderne, presque gracieux. Il disparut dans la bibliothèque en se frottant tristement la partie supérieure du front. Quelques instants après, le fond se referma ; la bibliothèque venait d'engloutir l'inconnu.

Harry eut dans les yeux un nuage d'incompréhension qui fit pleuvoir dans ses pensées des sentiments inexpliqués, à la fois tendres et inquiétants. Alors qu'il allait se tourner vers Spencer pour mesurer l'effet de cette découverte sur un esprit qu'il savait plus aguerri, une lueur apparut une nouvelle fois sous le seuil de la porte. Spencer eut juste le temps de porter son index à la bouche pour inciter Harry à la prudence.

La porte s'ouvrit une nouvelle fois, sans grincer. Une ombre se répandit sur le Kilim, impressionnante. Au bout d'un bras couvert d'une grosse toile, une chandelle en ruine avança jusqu'au guéridon. Vêtu d'une robe de bure large et enveloppante, le visiteur entra dans le salon Mauve. Il refit exactement les mêmes gestes que son prédécesseur, à la différence près qu'il hésita pour choisir un livre, mais il se rattrapa bien vite lorsqu'il mit la main dans les rayonnages pour ouvrir le fond de la bibliothèque.

Lorsque la bibliothèque amorça son quart de tour, *Spirite* plongea naturellement dans le vide avec une certaine grâce jusqu'à l'instant précis où il frappa lourdement la tête du malheureux qui l'accueillit froidement. À la suite de cette rencontre, un petit gémissement plaintif très proche du cri de la musaraigne éconduite s'échappa de la capuche. Il fut contenu, mais sincère. Aussitôt, les rideaux qui cachaient Harry se mirent à vibrer par petites secousses rythmées ; on aurait pu entendre un glougloutement étouffé si les rafales de vent glacé s'étaient apaisées, mais fort heureusement, personne n'entendit Harry glouglouter.

Dès que le mystérieux visiteur fut remis de ses émotions, il disparut à nouveau dans les profondeurs du passage secret après avoir replacé le livre sur la corniche.

– Spencer !

– Oui Harry !

– Nous n'aurions pas dû placer ce livre sur la corniche.

– Vous avez raison.

– Il va finir par s'abîmer. Toutes ces politesses ne nous disent pas ce qu'ils viennent faire à cette heure-ci. À mon avis, ils ne viennent pas faire une partie de Whist, ils doivent avoir rendez-vous.

– Silence, Harry ! Écoutez !

Pour la troisième fois, la porte s'ouvrit et un visiteur toujours vêtu d'une robe de bure entra en faisant exactement les mêmes gestes que les deux précédents. Une nouvelle fois, *Spirite* émut sauvagement les pensées de l'inconnu. Les rideaux s'agitèrent, mais grâce à une intervention ferme du côté du foie, qui pouvait s'apparenter à un direct du gauche, l'atmosphère se rafraîchit instantanément, et ce, pour un certain temps.

À peine eut-il pris le passage secret, qu'un autre mystérieux visiteur pénétrait dans le salon Mauve.

Après plusieurs minutes d'un ballet silencieux rythmé par des simulacres identiques, des gémissements migraineux et des gloussements étouffés, la porte du salon resta enfin fermée.

– Vous les avez comptés, Spencer ?

– Treize. Ils étaient treize à prendre le passage, j'en suis sûr.

– Vous avez vu leur visage ?

– Non sacrebleu, je n'ai rien vu, répondit Spencer toujours sur le qui-vive. Mais, Harry, vous avez remarqué, ils ont tous pris un livre...

– ...plutôt deux, en comptant celui qu'ils ont pris de haut.

– Vous avez surtout failli nous faire repérer.

– Ne dites plus cette phrase, chaque fois que vous la prononcez, il nous arrive une catastrophe. De toute façon, la clé de toute cette histoire se trouve dans les bibliothèques.

– Nous commençons à y voir plus clair, dit lentement Spencer.

– Nous avons au moins l'explication des traces de cire sur le guéridon, murmura Harry qui profita de l'accalmie pour reposer ses talons sur le sol.

– Ils n'attendent plus personne, j'en suis sûr.

– Comment le savez-vous, Spencer ?

– Parce que le nombre treize n'est pas un hasard, il me rappelle quelque chose, dit Spencer en se remettant debout.

– Je crois que c'est le nombre de croquants aux pistaches qu'il restait dimanche dernier après la visite du Révérend Naughton. Vous vous souvenez, il n'a pas cessé de disserter sur la gourmandise la bouche pleine de croquants. Si je ne m'étais pas décidé à remplacer discrètement les croquants par les boulettes de Pussy, je crois bien qu'il les aurait mangés jusqu'au dernier. D'ailleurs, il n'a pas épargné les boulettes non plus ! J'ai comme l'impression qu'il y a plus de Saints au presbytère qu'à Paddington, mais beaucoup moins de croquants !

– Merci, Harry, votre collaboration m'est très précieuse.

Puis il plongea dans un monde de pensées. Des bribes de mots nouèrent ses lèvres mi-closes, il se parlait à lui-même avec dans la voix le souci de savoir. Harry crut un instant qu'il récitait le Pater Noster en espagnol, ou God save the Queen en portugais, ce qui, pour avoir laissé un genou à terre depuis longtemps, pouvait sembler logique. Et soudain, un murmure à peine audible s'échappa de ses lèvres :

– Le nombre treize me rappelle un repas entre amis qui a mal tourné.

– Un mauvais souvenir, Spencer ?

– Pas vraiment.

– Alors, il y avait des professeurs de mathématiques et des champignons vénéneux au repas. J'ai remarqué que ce sont souvent ce genre de rencontres qui font de bons souvenirs.

– Non, celui auquel je pense, je n'y étais pas. C'est une très très vieille histoire qui n'est toujours pas réglée.

Spencer sortit de sa cachette.

– Venez Harry, vous pouvez sortir.

– Vous êtes sûr ?

– Oui, il n'y a plus personne.

Après avoir chassé sa peur, Harry sortit de sa cachette sur la pointe des pieds. Les dernières braises endormies s'étaient recouvertes d'un léger drap de cendres gris taupe. Spencer craqua une allumette et réussit à enflammer la petite mèche d'une applique encore tiède.

— Avez-vous remarqué, Harry, que leurs bougies étaient largement consumées ?

— Bien sûr, Spencer, je n'ai vu que ça, dit-il d'un air bravache. Et vous Spencer, avez-vous remarqué que le septième chaussait du huit ?

Spencer, pour rester concentré, continua à se parler à luimême, ignorant la banderille de Harry.

— Ils ne viennent donc pas de les allumer, se dit-il.

— Croyez-vous, Spencer, que nous avons découvert des adeptes de la luxure et de la débauche ? Remarquez, ils avaient tous un petit sac ; peut-être apportaient-ils du jambon, du pâté, des toasts et du pudding ?

— Ne soyez pas stupide, Harry ! La robe de bure n'est pas encore l'emblème des fins gourmets.

En disant ces mots, Spencer s'était rapproché de la bibliothèque, suivi de près par Harry.

— Vous vous souvenez des livres que vous avez parcourus, Spencer ?

— Un peu.

— Nous aurions dû regarder cette bibliothèque plus attentivement. Non seulement elle sert de passage, comme la bibliothèque bleue, mais ils l'utilisent pour choisir des livres. Souvenez-vous Spencer, lorsque vous avez pris *Spirite* pour le poser sur la corniche, vous avez murmuré des noms d'auteurs.

— Oui, c'est exact, il y avait un ouvrage en provençal de Jan de Montmajour, *Micromégas* de Voltaire, une pièce de Molière, *les Messagers*...

— Regardez, Spencer ! Molière a disparu, Voltaire aussi, et les onze autres bien sûr.

Spencer regarda fixement toutes les étagères et chuchota songeur :

— Eh bien, je crois qu'il ne reste qu'une chose à faire, très cher Harry, nous allons devoir reprendre le passage pour voir où il mène. Vous n'êtes pas obligé de me suivre, mais sincèrement, je crois que vous devriez, nous sommes trop près du but. Faites-moi confiance.

— Vous êtes fou ! s'indigna Harry, vous aviez dit que nous reviendrions demain ! Je n'ai pas envie de dépasser les quarante-deuxièmes rugissants, rien que d'y penser, j'ai la fièvre qui me monte au cerveau.

Puis il reprit un ton beaucoup plus serein, car un argument de poids lui traversa l'esprit comme *Spirite* aurait pu le faire.

– Et puis, nous n'avons pas de robe de bure et avec votre robe de chambre je crains qu'ils ne vous considèrent comme un traître très prétentieux. Enfin... nous avons une chance de ne pas finir nos jours à trente pieds sous terre. Il y a encore tellement de monde qui compte sur moi !

– Qui compte *pour* vous, plutôt ! Oubliez vos créanciers, Harry ! Il suffit de trouver deux robes de bure et le tour est joué.

– Vous ne voulez pas dire que nous allons reprendre ce tunnel sordide, déguisés en...

– Il le faut.

– Ce n'est pas possible, Spencer. Et puis, nous n'avons pas de robe de bure, l'affaire est réglée.

– Il doit y en avoir ici, chuchota Spencer en jetant aussitôt un regard vers le meuble bas de la bibliothèque. Ils prendraient trop de risques à les emmener toujours avec eux. Toutes ces personnes arrivent au Savoy en tenue de ville et après la fermeture, ils enfilent leur robe de bure. C'est donc qu'ils se changent ici et je parierais dix-sept Livres et demie qu'elles se trouvent là, dit-il en se dirigeant avec assurance vers la bibliothèque.

Sans aucune hésitation, Spencer ouvrit les portes du meuble bas. Puis, d'un geste précis, il souleva la dernière étagère qui cachait un tiroir aveugle.

– Comment saviez-vous qu'il y avait un double fond ? demanda Harry perplexe.

Mais Spencer ne répondit pas. Un éclair sauvage traversa ses yeux. Le faux tiroir était vide, désespérément vide. Quelqu'un était passé avant lui.

– J'aurais dû m'en douter, il faut fouiller partout, dit-il avec de la colère dans la voix. Voyons, chaque salon est meublé de la même façon : une bibliothèque, un sofa, une commode ou une encoignure et un guéridon.

Alors que l'esprit de Spencer faisait des boucles prodigieuses, Harry le regardait immobile, sans comprendre ce qui le troublait.

– Vous avez remarqué, Harry, leur robe de bure n'était pas du tout froissée.

— Croyez-vous que sur la pointe des pieds, avec un coude dans le foie, j'ai pu inspecter la qualité de leur tenue. Du coton… ? Non, du Shetland !

— Supposons, Harry, que vous voudriez cacher un vêtement dans cette pièce sans qu'il ne prenne de plis. Où le dissimuleriez-vous ?

— Je ne sais pas moi ! Sous le tapis par exemple ! Ma Tati me disait souvent : « Mon p'tit Harry, quand tu veux cacher ta robe de bure, mets-la sous un Kilim, les cornacs se chargeront de la repasser ».

— Je ne peux donc pas compter sur vous, Harry ! regretta Spencer un peu froissé.

— Ne le prenez pas mal. Je ne sais pas, moi. Où peut-on cacher des robes de bure ? Dans l'encoignure en faux laque de noyer par exemple, dit-il en haussant les épaules.

Spencer se précipita vers le petit meuble en coin, comme s'il prenait cette boutade au sérieux. Il constata très vite qu'il ne fermait pas à clé. Les clients pouvaient se servir librement, il suffisait de tirer les portes. Sur deux petites étagères triangulaires rehaussées d'un Jour d'Angle sur la tranche, des objets avaient été disposés pêle-mêle. Avec beaucoup de minutie, Spencer posa sur le parquet un magnifique service en cristal composé de quelques verres à liqueur et d'une carafe à Porto. Il y avait aussi des serviettes brodées à l'italienne rouges et vertes, un échiquier en onyx, une grande boîte à cigares en cyprès et une fiasque d'huile pour les appliques. Mais pas de robes de bure.

— Vous pensiez peut-être trouver une robe de bure pliée et repassée de ce matin avec le nom de la pareuse sur la capuche ?

Harry ne cacha pas sa satisfaction devant ce déballage d'objets disparates. La vision de la boîte à cigares lui redonna une certaine aisance d'esprit qu'il manifesta par un jeu de jambes ampoulé, mais très expressif.

— Par contre, je prendrais bien un cigare, dit-il. Malheureusement Spencer, il n'en reste qu'un et c'est un Bradley. Je vais voir s'il n'est pas empoisonné, ajouta-t-il en le humant profondément, j'adore les longs cigares des Antilles. Tiens ! Tiens ! Il y a une clé dans la boîte, Spencer. Que fait-elle dans cette boîte ?

— Bravo, Harry ! Nous sommes sur la bonne piste, dit-il en lui prenant la clé de la main.

— Ce n'est qu'une clé, Spencer !

— Exact, il nous faut la serrure, maintenant.

Harry ne cessait de manipuler le cigare avec gourmandise.

— Nous avons la réponse, il nous manque désormais la question, dit Harry en maintenant sous ses narines le long cigare dont le parfum mielleux promettait beaucoup.

— Voyez-vous, cette clé est régulièrement utilisée, car ses deux faces sont parfaitement polies. J'inclinerais à penser que si elle ne servait qu'une fois par mois, elle ne serait pas aussi lustrée. Elle doit donc être utilisée régulièrement pour ouvrir la porte d'un meuble, mais lequel ?

— C'est étrange, vous me rappelez quelqu'un quand vous parlez de cette façon, on a comme l'impression que vous pourriez même trouver l'âge du capitaine en fouillant dans l'estomac d'un rollier d'Europe mort de la brucellose. Voulez-vous que je cherche un rollier mort de la...

Harry hésita à poursuivre, car Spencer, trop absorbé par ses investigations, ne pouvait plus entendre personne.

En observant attentivement la forme de la clé, Spencer se dirigea vers la bibliothèque, mais la serrure du meuble bas ne pouvait pas convenir. Il retourna vers le meuble de coin pour vérifier que la clé n'était pas celle du meuble lui-même.

En voyant ce petit manège, Harry réussit à faire tourner le cigare dans ses doigts avec une telle dextérité que le porte-drapeau de l'harmonie de Glasgow, qui était le seul homme au monde à faire tourner son étendard plus vite que les hélices d'un vapeur de deux cents tonneaux, aurait pu croire que sa place était menacée. Heureusement pour lui, il put conserver son poste jusqu'à sa mort. Le pauvre homme s'empala avec son bâton pointu, dans un excès de joie.

— Mais alors, s'interrogea Spencer, quelle porte peut-elle bien ouvrir ?

— Franchement je ne vois pas. Peut-être n'ouvre-t-elle rien du tout... c'est pour cela qu'elle est précieuse... c'est rare une clé qui n'ouvre rien... et comme elle n'ouvre rien... ils la gardent dans la boîte à cigares...pour être sûr de ne pas la perdre.

Harry, très pédagogue, s'était exprimé avec précision et logique. Spencer lui répondit par une bouche plissée, très peu engageante. Un bouledogue privé de sa promenade quotidienne aurait eu une expression un peu moins renfrognée. Pour vite se rattraper, Harry se mit à chercher très ostensiblement une serrure. Dans un très large mouvement de bras, il souleva le Ghoum suspendu.

— Il n'y a pas de coffre sous la tenture, Spencer. Mais si à l'occasion, vous mettez la main sur une allumette, je veux bien…

— Bravo, Harry ! Où sont les allumettes ?

Harry fixa Spencer un peu hagard.

— C'était l'objet de ma question.

— Les allumettes sont toujours dans le tiroir du guéridon, fit-il le doigt dirigé vers le plafond.

— Spencer se précipita vers le guéridon recouvert d'une longue jupe aux plis creux qui descendait jusqu'aux pieds. Il la souleva sauvagement avec beaucoup de plaisir.

— Vous avez encore gagné, Harry, voilà un coffre en bois très appétissant. Nous allons tout de suite savoir si cette clé… victoire ! Il s'ouvre !

L'œil hagard, Harry regardait Spencer déballer tout son contenu avec frénésie.

— Vous avez trouvé des allumettes, Spencer ?

— Non, regardez ! C'est dans ce coffre qu'ils rangent les cendriers, les napperons, regardez Harry ! Un petit fascicule, des cartes, des plans, et là ! …Un sac ! Les robes de bure sont là !

De plus en plus impatient, Harry commençait à trouver le temps long.

— Et les allumettes ? se risqua-t-il à demander.

Spencer se plongea dans la lecture des livrets avec une excitation folle, en oubliant Harry qui se lamentait son Bradley à la main, désespérément éteint. Harry s'affala dans le sofa en soufflant :

— Pas d'allumettes, pas de gâteaux aux cerises confites, pas de thé, rien ! Que des moines, des passages secrets, des toiles d'araignées, des cliquetis, des hellébores, des cochons, un mouflon, mais pas de pudding, pas d'allumettes !

De rage, Harry prit son cigare à deux mains et le découpa en petits morceaux avant de le jeter à ses pieds dans un geste de désespoir.

Spencer, qui était toujours absorbé par les découvertes qu'il venait de faire, entendit malgré lui les lamentations de Harry. Il mit alors sa main dans une de ses poches et en sortit une boîte d'allumettes.

— Tenez, Harry, fit-il sans même tourner la tête.

Harry dévisagea Spencer. Des couteaux, des machettes, des lances, des gourdins, des flèches empoisonnées, des fourchettes et même un tromblon à baïonnette s'échappèrent des yeux de Harry. Il était trop tard, son cigare gisait en mille morceaux éparpillés à ses pieds. Il se saisit des allumettes sans ménagement, et si la foudre de son regard avait croisé le soufre des allumettes, nul doute qu'elle les eut enflammées en un éclair. Par chance, Harry trouva la force d'abdiquer dans ses pensées la volonté d'en découdre.

Ruminant sauvagement son amertume, il s'appliqua à ramasser tous les morceaux de cigare en se mettant à quatre pattes pour être bien sûr de ne pas en oublier un seul. On ne badine pas avec un Bradley. Il fit ainsi plusieurs cercles concentriques à la manière d'un setter irlandais sur la voie d'une perdrix rouge, car, comme la lumière se faisait rare, il devait beaucoup plus compter sur son odorat que sur sa vue. Après moult reniflements bruyants et tâtonnements nasaux, il put enfin mettre le nez, qu'il n'avait pas petit, sur tous les morceaux du cigare dispersés devant le sofa.

Il se rassit avec la ferme volonté de reconstituer le long cigare si appétissant, mais la tâche ne s'avérait pas facile.

– Quelle misère ! dit-il en posant les doigts sur les bouts de cigare alignés les uns aux autres.

Puis, d'un geste très difficile, il parvint à se saisir d'une allumette. Pas un seul appendice de son corps ne resta passif devant le défi qu'il s'était lancé.

– Vous êtes fou ! gronda Spencer en découvrant Harry en train d'essayer d'allumer son cigare.

– Qu'ai-je fait ? marmotta-t-il la bouche et les mains encombrées.

– Ne fumez pas, Harry ! Personne ne doit se douter de notre présence. Bien que tous ces inconnus ne soient probablement pas des Peaux-Rouges, vos volutes nous trahiraient !

Harry ne bougea plus, un bout de cigare serré par ses lèvres et les doigts disposés comme ceux du joueur de flûte de Hamelin sur le reste du cigare. Seuls ses yeux s'agitèrent follement sans pouvoir s'échapper de leur orbite. Puis, d'un geste excédé, il abandonna son échafaudage en grimaçant :

– « Vos volutes ! Vos volutes ! » Jamais une de mes volutes ne m'a trahi !

Spencer fit mine de ne rien entendre, mais il ajouta :

— Sans votre perspicacité, nous n'aurions jamais trouvé ce trésor.

— Un trésor ! s'exclama Harry. Un trésor qui ne va nous attirer que des ennuis. Nous sommes les seuls à trouver un trésor d'une telle valeur ! J'aurais mieux fait de ne rien dire. Mon adorable Tati me le disait pourtant souvent : « mon p'tit Harry, si parler est souvent difficile, neuf fois sur douze se taire est un exploit », et elle avait bien raison ma Tati !

— Nous avons mis la main sur le plan du réseau souterrain, tout communique ! C'est un véritable labyrinthe, Holborn, Bloombury, Shoreditch, Stepney…, désormais plus rien ne nous empêche d'aller explorer cet univers mystérieux, c'est incroyable !

Les mots jaillirent avec une telle émotion qu'ils ébranlèrent le sommeil du salon sans peser sur la conscience de Harry. La découverte de Spencer le confortait dans l'idée que son monde pouvait enfin exister et qu'il pourrait très bientôt s'y évader comme il le faisait parfois le long du lac de Saint James's.

— Quelque chose nous retient, Spencer, dit gravement Harry en regardant ses souliers.

— Qu'est-ce donc ?

— Notre raison.

Harry avait prononcé le mot *raison* avec l'accent américain.

Spencer se redressa. Il prit le temps de caler ses mains dans les poches profondes de sa robe de chambre pour préparer la hauteur de sa réponse. Il n'aimait pas prendre Harry par surprise.

— Vous devez surestimer la vôtre, Harry ! dit-il en écossais. Quant à la mienne, ne vous inquiétez pas, je l'avais oubliée un jour sur un banc de Parliament Square, et lorsque je suis revenu, elle n'y était plus. Je suppose que le gardien du square, un certain Jack, a dû la garder. J'ai entendu dire, que peu de temps après, un petit employé de la ville était devenu conseiller de la Reine, je crois même… chirurgien de Sa Majesté aux dernières nouvelles !

— Vous ne faites jamais attention à vos affaires Spencer ! Et maintenant, c'est vous qui allez être gardien d'un passage sordide, vous avez tout gagné ! Et moi, je vous servirai de descente de lit !

— Peut-être que le plus difficile à comprendre de la vie, très cher Harry, c'est de savoir que l'on perd toujours ce que l'on veut garder jalousement pour soi et qu'au contraire, on s'enrichit de ce que l'on partage avec les autres.

– Je ne suis pas sûr d'avoir bien compris, mais intuitivement, je vous conseille de ne jamais citer cette *banderille* à Archibald Vence. On pourrait alors craindre que d'un regrettable quiproquo ne jaillisse un redoutable uppercut au foie.

Harry se tint le foie qui lui procurait toujours de légers picotements.

– Je ne suis pas sûr non plus d'avoir bien compris, Harry.

– Ce que je pense est très simple. Il serait infiniment plus judicieux que je reste dans ce salon.

Puis d'un air très persuasif qu'il s'obligea à prendre pour donner plus de conviction à sa pensée, il ajouta en agitant ses deux mains :

– Cette nuit, il va sûrement se passer des choses extraordinaires dans ce salon ! Comptez sur moi. Je ne me déroberai...

– La robe. Harry. Mettez cette robe, dit-il en lui tendant une robe de bure trouvée dans le petit meuble.

– D'accord Spencer ! dit-il avec colère, mais c'est bien pour vous sauver, vous ne méritez pas de finir comme un concombre en salade, écrasé par des pommes de terre et des haricots froids !

Spencer ne saisit pas aussitôt la portée de sa réponse gastronomique qui pourtant sonna très sincère. Mais c'est en se souvenant qu'il était tard dans la nuit qu'il réalisa que l'heure du sandwich de Harry avait sonné. En fait, inconsciemment, les papilles de Harry s'étaient réveillées et le lui faisaient savoir. Il n'était pas le dernier quand il s'agissait de déguster un sandwich au concombre. Chaque fois qu'il passait chez son ami Lane, à Piccadilly, il en profitait pour savourer les plus fameux sandwichs au concombre de Londres, car Lane savait les préparer avec grand art, presque aussi bien que ses queues de brebis au cumin et au gingembre. Mais bien que les relents de l'horrible soutane lui rappellent les bons petits plats de Lane, l'enthousiasme lui manquait pour accomplir la mission qu'il venait pourtant d'accepter. En agitant la robe de bure dans tous les sens, il ajouta nerveusement :

– Sottises ! Sottises ! Se déguiser en moine pour découvrir un champ de betteraves ! Nous allons nous perdre pour de bon et nous mourrons de faim ! Tiens, j'ai déjà faim, Spencer. Personne ne viendra nous chercher dans ce trou à rat, je vous le dis, même Livingstone n'osera pas. La charmante compagnie de cannibales est bien plus sûre que les diablotins qui vont venir sucer nos âmes, comme tout à l'heure ! Notre seule chance, ce serait nos créanciers, mais auront-ils le courage de pénétrer dans cet antre du diable ? Je ne suis pas sûr que l'on puisse compter sur ses créanciers de nos jours !

Harry avait commencé à enfiler sa robe de bure en continuant à fulminer sans relâche contre cette aventure :

— De toute façon, on ne peut jamais compter sur personne, surtout sur ceux qui nous détestent, je suis persuadé qu'ils auraient honte de venir jusqu'ici, les lâches !

Spencer passait sa robe de bure sans se préoccuper des récriminations de Harry. C'est en relevant la tête qu'il découvrit Harry, devant lui, les bras écartés et l'ourlet de la soutane pas plus bas que ses rotules.

— Harry ?

— Oui, qu'y a-t-il ? dit-il agacé par ce déguisement.

— Vous ne remarquez rien ?

— Que voulez-vous dire ?

— Vous ne vous sentez pas un peu... à l'étroit ?

— Si, un peu.

— Essayez plutôt celle qui reste, elle doit être plus grande, vous avez dû mettre une robe de bure pour enfant.

— Pour enfant ! Il y a des enfants dans le trou ?

— Avec votre sublime pantalon qui dépasse, vous ressemblez à une autruche en pleine parade nuptiale.

— Une autruche à la parade ! dit-il en se regardant.

— Vous ne voyez donc pas que vous êtes en train de suffoquer.

— Si, si. J'avais justement l'impression d'être à la place d'une autruche la tête dans le trou.

Spencer lui tendit l'autre soutane.

— Tenez ! Peut-être que cette histoire finira bien, tous les enfants feront une grande fête avec tous les membres de la Société secrète et nous nous embrasserons chaleureusement autour d'un superbe goûter.

— Vous lisez trop, Spencer ! Justement, les livres racontent des histoires que la réalité est bien incapable de reproduire, autrement, nous nous passerions d'écrire.

— Nous verrons, Harry, nous verrons bien. Dans les livres on ressuscite les morts, mais dans la réalité on tue des vivants. En fait, c'est un peu le même principe.

— Vous voulez me faire peur, mais tout cela est ridicule. La réalité ne copie jamais le rêve.

— C'est ce que je croyais, mais j'avoue que depuis hier je n'en suis plus très sûr. Je veux bien prendre les paris. La réalité et la vérité ne sont que des masses inertes. Le rêve et l'art agissent comme de grandes forges bouillonnantes d'énergie et finissent toujours par façonner le monde et la nature. Ce qui est vrai a toujours été inventé et ce soir, nous allons peut-être enfin pénétrer dans cette grande forge bouillonnante.

Aussitôt, Harry ressentit une grande chaleur monter en lui.

— Il fait chaud, dit-il, en s'épongeant le front avec un grand mouchoir.

— C'est peut-être parce que nous nous rapprochons de la forge bouillonnante. Êtes-vous prêt, Harry ?

— Non.

— Parfait, allons-y maintenant.

Puis Spencer marqua un temps d'arrêt, une pensée semblait le tirailler. Il se retourna vers Harry :

— Au fait, Harry, si par hasard nous nous perdions de vue, il faudrait que nous soyons capables de nous reconnaître sans avoir à dévoiler nos visages.

— Vous avez raison, Spencer. Eh bien, je n'aurai qu'à prononcer une parole pleine de finesse, vous me reconnaîtrez tout de suite.

Un silence s'imposa. Spencer se redressa pour bien mesurer la portée de la proposition qu'il ne sut classer dans les *banderilles* classiques de Harry ou celles plus bourrues qu'il exécutait parfois au petit déjeuner. Toujours est-il que le regard de Spencer hésita, puis se fit transparent. S'agissait-il d'indulgence ou de politesse ? La question n'était pas de juger, mais de comprendre, ce qui bien sûr, est à l'opposé.

— Une parole pleine de finesse, dites-vous ? Vous avez là une très bonne idée, Harry. Si, si, vraiment excellente. Vous auriez pu attendre que l'on soit dans le passage secret pour vous entraîner...

Le torse de Harry se gorgea d'air et son pantalon prit du volume. Spencer continua :

— …seulement, il faut que cette ruse soit absolument sûre, et dans le cas où une autre personne aurait l'esprit aussi fin que le vôtre, ce qui est très improbable, je l'avoue, s'empressa d'ajouter Spencer, nous pourrions être victimes d'un fâcheux malentendu.

La mine de Harry s'aplatit contre sa pomme d'Adam.

— Je vous propose que l'on tousse de cette façon en poussant un petit grognement, dit-il en donnant quelques exemples de toux.

— Alors ! Si vous avez plus confiance dans votre larynx que dans mon esprit ! Comme vous voudrez !

— Eh bien, désormais, le sort en est jeté, nous allons pénétrer dans le cœur de la grande forge bouillonnante.

— Et si nous croisons le Grand Forgeron ? bredouilla Harry en retenant Spencer par le bras.

— Eh bien, ce serait vraiment une chance, j'ai une question à lui poser.

En langage diplomatique on aurait pu dire que Harry apprécia très modérément la réponse, mais un haleur d'India docks l'aurait compris comme une tentative de meurtre.

Cette irrésistible profession d'audace qui ne quittait jamais Spencer avait le don d'exaspérer Harry, car il savait au plus profond de lui-même que malgré toutes ses aventures, Spencer ne suivait que les préceptes de la noblesse et du désintéressement.

Sur ces mots, Spencer prit soin de conserver le plan puis il confia *Spirite* à Harry avant d'éteindre l'applique. Harry regarda vers la corniche, tandis que Spencer plongea sa main à droite de la troisième étagère. Aussitôt le fond de la bibliothèque s'ouvrit. Il ne restait plus qu'à mettre leur capuche pour ne pas être reconnu. Dans un silence sacerdotal, Spencer reprit le petit bougeoir. Ils disparurent tous les deux dans une obscurité tachée d'un halo de la taille d'un citron.

La bibliothèque se referma derrière eux lorsque Big Ben sonna un coup. Un seul coup. Un coup de poignard dans la conscience de Harry.

XVII

Même si leur aventure revêtait parfois des traits inexplicables, des marques invraisemblables, voire surnaturelles, ils devaient se douter que la réalité les rattraperait bien vite dès qu'ils franchiraient le seuil de la bibliothèque. Lorsque Harry retrouva le monstrueux tunnel sordide qui l'avait tant fait souffrir, un trait de désespoir affaiblit son regard. La réalité finit toujours pas être cruelle pensa-t-il.

Comme si le temps pouvait se perdre, Spencer et Harry plongèrent dans le monde du labyrinthe avec le sentiment de ne jamais l'avoir réellement quitté.

La voûte, toujours aussi sombre et ruisselante, pesait sur leur esprit avec une malignité perverse, mais, pour Spencer, ce tunnel n'était qu'un passage dont il fallait s'affranchir pour découvrir le monde merveilleux qu'il avait imaginé. Et si des inconnus l'avaient emprunté, pourquoi ne pouvait-il pas suivre, lui aussi, leur trace ?

Dès que leurs yeux s'habituèrent à l'obscurité, le chemin devint plus large et surtout moins sinueux. Les pavés difformes se changèrent en terre battue, plus sèche et plus souple et même l'arche de la voûte s'éleva prodigieusement en même temps que les murs s'espacèrent. Une large allée tranquille et accueillante s'ouvrait devant eux.

Tout à coup, Spencer s'arrêta. Il déplaça la petite bougie de chaque côté de ses épaules en prenant soin de ne pas s'aveugler. Devant lui, il n'y avait que l'obscurité intense du tunnel qui l'attendait. Mais, après un instant, le petit cercle jaune de la bougie éclaira un nuage plus clair. Il n'y avait plus de doute, l'issue du tunnel se dessinait progressivement devant leurs yeux. Spencer se tourna vers Harry en lui chuchotant :

– Nous sommes arrivés, Harry.

– En enfer ?

– Nous allons enfin savoir si tout cela n'est qu'un rêve ou si nous sommes bien dans la réalité. Écoutez ! Ne faisons plus de bruit ! Remettez bien votre capuche et marchons lentement comme les mystérieux visiteurs du salon.

Le tunnel s'ouvrit sur une immense terrasse à l'extrémité de laquelle un jardin à l'anglaise, ceinturé de haies de buis taillées à mi-hauteur, cachait dans de charmantes alcôves des bancs, des statues et de jolies petites cours. Quelques feuilles chahutées par le vent du soir roulaient sur une fine couche de gravillons multicolores. L'air vif ne les saisit pas vraiment, car il régnait une atmosphère paisible propice au repos et à la méditation. Pour accéder à ce jardin, il fallait encore suivre un petit sentier qui prenait le long d'un muret empierré de moellons jusqu'à un marbre grec veiné de bleu.

– Harry !

– Oui.

– La statue semble nous indiquer le chemin. Ce bras tendu vers le jardin doit être un signe. Faisons-lui confiance.

La statue reposait sur un socle imposant, au moins de la taille d'un tronc de cyprès millénaire. La bougie choisit cet instant pour mourir en laissant monter dans l'air frais de la nuit une ficelle de fumée noire parfumée. Elle avait accompli sa mission.

– Ah ! C'est bien le moment ! grommela Harry, puis, voyant Spencer continuer son chemin, il ajouta : attendez-moi ! Spencer, j'ai accroché ma soutane dans une branche.

Peut-être trop impatient, Spencer ne l'attendit pas. Malgré l'obscurité de la nuit, le ciel lumineux étoilait le merveilleux jardin de ses reflets bleutés jusque dans les ombres des arbustes. Spencer contempla cet univers avec une grande émotion, en oubliant Harry. En s'approchant du jardin, une timide clarté éclaira les alentours. Était-ce une aurore boréale ou la réverbération des lampadaires des boulevards du West End ? Toujours est-il qu'il vit distinctement les arabesques que formaient les sentiers bordés d'arbustes très joliment taillés.

Sorti des profondeurs de la nuit, la démarche lente et la courbure du dos très marquée, Harry apparut une ombre sous la capuche. Spencer, lui, ne cachait plus le tourbillon de bonheur qui tournait et tournait sans fin dans son regard.

– C'était donc vrai ! Ce monde existe ! Et quelle incroyable beauté ! s'exclama Spencer plongé dans une béatitude envoûtante.

Harry resta à côté de lui, silencieux, blotti dans son ombre. Spencer remplit le silence en laissant son regard se perdre le long des allées géométriques bordées par les petites haies qui quadrillaient le jardin de losanges et de cercles. Sur un tertre de pelouse tondue très court, il aperçut une magnifique pergola dont la structure en bois abandonnait son jaune clair sous les tresses sauvages d'une passiflore luxuriante en colimaçon. Des dames-jeannes en terre cuite, disposées çà et là, meublaient agréablement le jardin très accueillant. Un peu plus loin, deux ifs sculptés en boule encadraient un portillon de bois peint.

— Venez, Harry, nous allons nous asseoir sous la pergola, nous finirons bien par rencontrer un des treize visiteurs. Vous avez toujours *Spirite* ? demanda-t-il.

Harry ne répondit pas, mais il leva la main dans laquelle il tenait le livre pour bien montrer qu'il ne s'en était pas séparé. Sa robe de bure lui couvrait parfaitement les mains et le visage de sorte qu'il était impossible de le reconnaître.

— Il fallait endurer ces terribles moments pour comprendre la beauté qui s'ouvre à nous. La beauté n'est jamais facile. Les fantômes se sont transformés en fleurs de jasmin, en fruits de la passion et en charmants arbustes. Le tunnel devait finir par un jardin parfumé, calme et voluptueux.

Puis il ajouta dans un murmure presque inaudible :

— J'aurais dû me faire confiance.

Harry ne réagit pas, il écoutait toujours en silence.

Lorsqu'ils arrivèrent sous la pergola, un banc savamment décoré de feuilles d'olivier et de laurier s'offrit à eux. Harry s'assit et ouvrit *Spirite*. Spencer qui contemplait la majestueuse construction tissée de feuilles et de lianes ne put s'empêcher une nouvelle fois de s'exclamer :

— Que ce jardin est beau !

À peine avait-il fini sa phrase que ses yeux, aidés par la surélévation de la pergola, se posèrent sur l'extrémité d'une allée à peut-être une soixantaine de yards de lui.

— Regardez ! Harry ! Là-bas ! Une ombre vient de passer. On nous épiait. Écoutez, vous allez rester ici, je veux savoir qui se cache derrière cette silhouette, je veux en avoir le cœur net.

Accroupi, Spencer se faufila dans une petite allée avec la vivacité et la légèreté d'un fauve. Les gravillons crissèrent mollement sous ses pieds, puis le silence. Soudain, des voix étouffées suivies de bruissements de feuilles et de craquements de branches ébranlèrent nuit. Visiblement une lutte opposait deux êtres bien motivés à ne pas se laisser capturer. Des supplications larmoyantes annoncèrent la fin de la bousculade.

– Épargnez-moi ! Je n'y suis pour rien, épargnez-moi ! J'ai toujours aimé les spectres !

Spencer tenait à bout de bras un homme vêtu d'une robe de bure dont la capuche lui cachait encore le visage. Il le tira sous la pergola pour profiter d'une lumière plus claire et aussi pour se faire aider par Harry qui l'attendait sur le banc :

– Harry, vous allez voir comme moi qui se cache sous cette robe de bure.

Mais le banc était vide.

– Harry ! Harry, où êtes-vous ? s'exclama Spencer.

L'homme, qui était fermement tenu par Spencer, murmura en tremblant :

– Spencer ! C'est moi ! Harry.

– Vous ! s'exclama Spencer en faisant un bond de côté, comment est-ce possible ?

– Vous m'avez capturé par surprise, vous m'avez fait tellement peur Spencer ! Comme je suis heureux de vous revoir !

– Mais enfin ! balbutia Spencer qui ne comprenait pas ce qui venait de lui arriver, c'est bien vous ?

– Oui, c'est bien moi, comme quinze et quinze font…

– Ce n'est pas possible ! Vous étiez avec moi, là, sur le banc, juste à l'instant !

– Sur le banc ! reprit Harry, je n'ai jamais vu ce banc de toute ma vie !

– Mais enfin, Harry, cette pergola !

– Jamais vue. Je vous ai perdu un peu après la statue « qui devait nous montrer le chemin » comme vous avez dit. Et puis je vous ai retrouvé dans l'allée des ifs.

– L'allée des ifs ! Mais je n'ai pas vu d'ifs ici !

– Ce n'était pas vous, Spencer ? dit Harry paniqué.

– Mais alors, sur le banc, qui était-ce ? Comment ai-je pu me tromper ? Pourtant vous êtes unique !

– C'est bien la première fois qu'un compliment me glace le sang, répondit Harry le cœur trop exubérant.

Harry et Spencer comprirent tous deux qu'ils avaient été suivis à leur insu par un inconnu, leur présence n'était désormais plus un secret.

— Mais alors, murmura Harry tout tremblant, *ils* savent que nous sommes là !

— Ne vous inquiétez pas, ce ne sont pas des bourreaux, nous ne sommes plus dans le tunnel.

— Ah quelle misère ! Maintenant il n'y plus de doute, nous avons été découverts par ces fantômes et ils vont probablement revenir en force pour nous capturer, nous juger et nous tuer !

Harry posa un genou à terre et entama une longue prière en espérant que l'habit puisse faire le moine :

— Ô Tout-Puissant ! J'implore votre pardon. Je regrette sincèrement de n'avoir bu que du vin excellent, surtout du Petit Faurie de Soutard et parfois même du Médoc Cadet Terre Fort, de n'avoir aimé qu'avec mon cœur sans penser à rien d'autre, d'avoir agi comme je le pensais et rarement comme il le fallait, d'avoir été stupidement émerveillé devant un ciel drapé d'innombrables étoiles scintillantes, d'avoir perdu mon temps à découvrir des senteurs suaves et des parfums exquis, d'avoir voulu goûter à tous les mets de la Terre et peut-être de préférer mon Earl Grey fleur bleue devant un petit feu sauvage en compagnie de mes amis, je regrette d'avoir fumé très lentement un long Bradley en essayant de faire des volutes hélicoïdales comme le fait si bien Spencer, de m'être enivré d'une Fine Champagne dans le verre qu'affectionne mon père, d'avoir lu et tant aimé de superbes contes extraordinaires où les hommes sont heureux, d'avoir fait rêver des petits enfants en leur contant des histoires imaginaires, de m'être arrêté au coin d'un boulevard simplement pour écouter les cris joyeux des écoliers au lieu de penser à travailler, d'avoir versé une larme inutile sur la tombe d'une inconnue au sourire angélique et d'avoir pleuré mille fois devant la bêtise des Hommes...

— Amen, ajouta Spencer en lui posant la main sur l'épaule, relevez-vous Harry, je vous pardonne.

— Mais c'est à Dieu que je m'adressais !

— C'est étrange, Harry, vous le critiquez pourtant souvent.

— Peut-être, Spencer, mais je ne le fais jamais devant lui !

— C'est vrai, mais un bon conseil, très cher Harry, changez tout de même d'avocat, ce serait plus prudent.

— Où voulez-vous que je trouve un bon avocat ici ?

— Sincèrement, Harry, vous avez peur d'être jugé ?

— Non, j'ai simplement peur d'être condamné.

— Vous me rassurez. Allons, Harry, vous n'avez rien fait dans votre vie qui mérite plus que quelques mois de travaux forcés, au pire un ou deux ans. Ne le prenez pas pour un compliment.

— Quelques mois de travaux forcés ! reprit Harry, c'est déjà beaucoup pour quelqu'un qui n'a jamais travaillé ! Bien que… si nous étions jugés ensemble, j'aurais peut-être une chance de me tirer d'affaire, le pire justifie le mal.

— C'est très aimable à vous de me renvoyer le compliment, dit Spencer faussement flatté. En attendant, il nous faut en savoir plus sur ces personnes. Nous ferions bien de faire comme celui qui vous a suivi, asseyons-nous et faisons semblant de lire.

Pendant que Harry tenait aussi bien *Spirite* que le missel du Saint-Esprit, les yeux de Spencer tournaient à une vitesse prodigieuse. Malgré toute son attention, les minutes s'écoulèrent dans un silence liturgique, sans que rien ne se passe.

— Assez ! Prenez votre livre, Harry ! Nous allons sillonner les allées, nous finirons bien par croiser un des pèlerins que nous avons surpris dans le salon Mauve, ils ne peuvent pas être bien loin. Peut-être même nous regardent-ils en ce moment ?

— À moins que ce ne soit des spectres, répondit Harry très peu enthousiaste. Je préfère rester ici, sous la pergola. Ce petit salon de jardin me paraît idéal pour être assassiné.

— J'apprécie votre perspicacité. Eh bien, soit ! Je vais explorer les lieux tout seul. Soyez attentif, cela vous donnera des idées pour votre prochaine nouvelle, je crois que vous aimez écrire des nouvelles, plutôt sanglantes, n'est-ce pas ?

— Amusant, mais si je suis lâchement tué, je ne pourrai rien noter, je n'aurai pas le temps, dit-il en s'asseyant sur le banc.

— Désolé, Harry, mais vous ne serez pas lâchement tué.

— Et pourquoi, Spencer ?

— Évident. Parce que vous êtes adossé au banc, vous aurez tout le loisir de voir votre meurtrier en face de vous avant qu'il ne vous…enfin… il ne pourra pas vous prendre par surprise.

— Merci Spencer, enfin une agréable nouvelle, je déteste tellement les surprises. Eh bien ! Bon courage !

Alors que Spencer s'apprêtait à partir, Harry l'interpella :

— Ah ! J'oubliais, il y a quelques mois, j'ai fait un testament en votre faveur, pensez-y le moment venu.

– Vous êtes incorrigible, vous vous y prenez toujours au dernier moment. Et cette petite folie de dernière minute va me coûter combien ?

– Oh ! Je n'ai pas compté, les grands chiffres me donnent le tournis !

– Harry, je vous ordonne de rester en vie ! Je dois y aller maintenant.

Spencer cacha son visage sous sa capuche puis se lança dans une allée avec une attitude de recueillement très prononcée. Désormais seul, Harry en profita pour jeter un regard sur quelques pages de *Spirite* que les chutes répétées avaient endommagées. De son point de vue, Harry avait une large vue sur le jardin, à part bien sûr dans son dos.

Soudain, le craquement sourd des gravillons meurtris par un pas lent parvint aux oreilles de Harry.

– C'est vous, Spencer ? chuchota Harry inquiet. Puis il continua : vous êtes déjà de retour ? Cessez de jouer, ce n'est pas drôle !

Des larmes dans la voix, il poursuivit :

– Je suis un spectre, je suis un spectre, moi aussi, un grand spectre. Spencer, montrez-vous pour l'amour de Dieu !

Harry ne pouvait plus tenir en place à attendre qu'un mystérieux visiteur lui bondisse à la gorge. Il se leva en un éclair et disparut à toutes jambes dans une allée, son livre bien serré dans une main.

À peine avait-il tourné à la première intersection que deux pèlerins apparurent.

– Nous allons nous asseoir sous la pergola, dit l'un deux. Si par chance, les pèlerins se joignent à nous comme la dernière fois, essayez d'observer leurs mains et de bien vous souvenir de leur voix. Pour ma part, j'essayerai d'engager la conversation. Ce soir, je leur ferai lire mon dernier poème.

Une voix de femme, élégante, claire et sensuelle lui répondit :

– J'ai apporté une huile d'un jeune peintre, regardez, dit-elle en sortant de son sac le merveilleux tableau, elle est de toute beauté, n'est-ce pas ?

– Vous avez raison, lui répondit le mystérieux inconnu le visage toujours caché sous la capuche, elle est magnifique ! Mais écoutez ! Je crois que l'on vient.

Trois personnes arrivèrent en marchant lentement, puis une autre et enfin un autre groupe. Ils portaient tous une capuche et bien sûr une robe de bure savamment enveloppante.

— Bonsoir mes amis, dit l'un d'eux, ce soir j'ai apporté un pastel, regardez bien les couleurs et la construction du tableau.

Le pastel passa de main en main avec moult compliments. Puis un autre pèlerin montra une gouache et un fusain. Tous les pèlerins s'exclamèrent de joie devant ces superbes œuvres. On entendit les noms de Whisler, Turner, Corot, Manet, Arbaud et bien d'autres. Parfois, un pèlerin demandait le nom de l'artiste et prenait des notes, un autre s'engageait à faire passer un article dans le Times. Un autre proposa de faire rencontrer son ami Alfred qui vivait à Auvers à l'auteur du fusain. L'enthousiasme était à son comble. Les uns citaient des journaux, des conférences, tandis que d'autres se proposaient d'aider ces artistes en leur prêtant leurs ateliers. Des invitations aux expositions privées de Camille et Johan circulaient avec beaucoup de succès.

Tout à coup, une des deux personnes qui étaient assises sur le banc demanda :

— Je peux vous lire ce poème, si vous le souhaitez.

Aussitôt des paroles d'encouragement fusèrent. À la fin de la lecture, des acclamations retentirent avec sincérité, on entendit « ce poème est une authentique œuvre d'art, il faut encourager son auteur, si vous le permettez, je veux bien m'en charger. Je vais faire passer un article sur ce poète, je contacterai le Daily Telegrah et le News of the World, semaine dernière j'ai fait rencontrer de jeunes compositeurs, nous devons nous surpasser cette année... »

Ainsi, pendant peut-être une bonne heure, les pèlerins s'échangèrent des noms, des articles, des adresses d'ateliers, des rendez-vous.

Sous les soutanes sombres, des hommes et des femmes invisibles ne parlaient que de beauté et de cœur.

Puis l'un d'eux se leva et prit la parole avec solennité :

— Je dois aller au jardin d'été, j'ai une nouvelle à leur apprendre, à très bientôt mes amis.

— Je vous accompagne, répondit une voix.

Un autre prit également la parole :

— Je vais passer au jardin d'automne, et ensuite je dois quitter Londres au plus vite pour une affaire de meurtre en Écosse.

Puis encore une autre voix :

— Je vous dis à jeudi prochain.

Tous les pèlerins quittèrent la pergola en se saluant chaleureusement. Seuls, les deux premiers personnages restèrent assis sur le banc.

— Ils sont tous partis ? demanda l'un des deux.

— C'est à n'y comprendre, dit la voix de femme.

Puis d'un geste un peu fébrile, elle enleva sa robe de bure. Lady Oxblow apparut dans sa magnifique robe de soie noire de jais.

— Vous l'avez reconnu ? dit-elle déçue.

— Non, je ne l'ai pas reconnu, répondit le colonel en enlevant à son tour sa capuche. Pourtant j'étais persuadé que Spencer était derrière cette Société. Ce n'était pas sa voix, ni même ses mains, sans parler de son attitude. Et pourtant cette rage qu'il avait à combattre la laideur « toujours et partout » a-t-il dit dans le salon Mauve, vous vous souvenez ?

— Vous avez raison colonel, Spencer n'était pas avec nous ce soir. Ou alors, était-ce ce pèlerin un peu discret ?

— Sincèrement, je ne le crois pas. Spencer n'était pas là ce soir comme tous les autres soirs. Vous vous souvenez lorsque Harry a lu l'article du Telegraph sur les toiles entreposées dans un souterrain, je m'attendais à ce que Spencer réagisse. Mais en fait, Littlefield ne devait être qu'un ivrogne perdu dans un des jardins. Il faut se rendre à l'évidence Lady Oxblow, nous sommes allés dans tous les jardins sans jamais rencontrer Spencer, il est étranger à toute cette Société secrète, cela ne fait plus de doute.

— Vraiment, je ne comprends pas. Nous sommes certains que le passage communique avec sa bibliothèque bleue au 14 Paddington Street, nous savons qu'il se rend régulièrement au Savoy et qu'il ne doit pas ignorer l'accès par la bibliothèque du salon Mauve. Malgré ces indices nous n'avons jamais pu le surprendre dans un des jardins, ni Harry d'ailleurs.

— Il ne faut pas se décourager, Lady Oxblow. Il nous reste encore un peu de temps. Si nous allions au jardin d'automne ?

Le colonel posa sa main sur le bras de Lady Oxblow en lui chuchotant :

— Après plusieurs années de recherche, souvent difficiles, nous sommes parvenus à découvrir le labyrinthe secret. Je n'oublierai jamais ces journées entières passées dans les bibliothèques du monde entier à rassembler des indices sur cette Société secrète qui existe depuis des siècles. Souvenez-vous, à Alexandrie, lorsque vous avez trouvé ces papyrus et les hiéroglyphes cachés dans les grottes des contreforts de la vallée de Biban-el-Molouk.

— Bien sûr, que je m'en souviens colonel. Et Lhassa ! Quand le vieil ermite vous a confié ce parchemin écrit en hébreux qu'un moine de la lamaserie de Rudock lui avait remis. Nous sommes partis le soir même pour Castelleone di Suasa sur la trace d'un mystérieux Anibaldi.

Lady Oxblow hésita, puis elle dit à voix basse :

— Il faut que je vous fasse une confidence colonel, toutes ces années de recherche auprès de vous ont été les plus belles années de ma vie. Ces voyages, ces lectures, ces rencontres avec des artistes et maintenant que nous avons découvert cette Société secrète, le mystère reste entier, comme si la beauté ne voulait pas dévoiler son origine, son essence. Mais je suis persuadée que nous n'avons jamais été aussi prêts de découvrir qui est l'organisateur de cette Société secrète. Allez colonel ! Le jardin d'automne nous tend les bras.

Lady Oxblow remit sa robe de bure puis ils disparurent dans une allée qui prenait sur le côté. Ils venaient à peine de quitter la pergola que deux silhouettes sortirent de l'ombre. Elles s'approchèrent discrètement de la pergola.

— Nous allons attendre dans ce jardin, dit l'un des deux mystérieux pèlerins, peut-être avons-nous une chance de les rencontrer ? Si bien entendu quelqu'un arrive, nous devons rester très discrètes.

C'était indiscutablement une voix de femme qui s'adressait à une autre femme. Après quelques minutes d'attente infructueuse, elles relevèrent toutes les deux leur capuche.

— C'est étrange, dit Mrs Kennington, il n'y a personne, nous sommes peut-être en retard.

La nièce de Mrs Kennington arborait un sourire angélique et une allure gracieuse que la robe de bure n'arrivait pas à ternir, car la jeune femme avait du lion dans le regard et de la gazelle dans les épaules, ce qui est si rare chez une jeune personne. Bien que le silence de la jeune fille fût marqué de sentiments et de pensées, Mrs Kennington semblait impatiente.

— J'ai apporté un recueil de poèmes et une estampe que je trouve de toute beauté. Mais maintenant que nous sommes ici ma chère, il faut que je vous fasse une confidence. Excusez-moi si je parle tout le temps, mais j'ai horreur du silence, il me rappelle toujours ces interminables heures d'études pendant lesquelles nous traduisions Eschyle. À cette époque, avec ma sœur, nous avions bien d'autres idées en tête. Nous écrivions de petits poèmes que nous adressions à la Mère supérieure du pensionnat, simplement pour lui faire plaisir. Nous signions nos billets, mais jamais avec nos propres noms, c'eût été vulgaire. Nous avions créé l'Académie de la lettre d'amour et j'ai eu le plaisir d'obtenir le premier prix. Quels bons souvenirs, ma petite ! Pour en revenir à la confidence que je voulais vous faire, un jour, à la saison où les grenadiers se couvrent de petites fleurs orangées, mon père qui était déjà bien malade, découvrit la lettre d'amour qui m'avait valu les lauriers de l'Académie. Vous avez remarqué, je perds toujours mes lettres d'amour ! Mon père me demanda alors :

« — Tu passeras à mon bureau à dix-sept heures.

Lorsque je poussai la porte de son bureau pour la première fois, je découvris des murs entièrement couverts de livres et de dossiers.

— Assieds-toi, me dit-il l'air à la fois préoccupé et heureux.

Il s'assit sur une petite chaise en me proposant le grand fauteuil noir qu'il réservait aux invités.

— Je suppose qu'il t'aime aussi ce garçon, me dit-il brusquement.

— En fait, père, cette lettre n'est destinée à personne, je l'ai écrite pour le plaisir d'écrire une lettre d'amour, je suis amoureuse de l'écriture.

Ses yeux se noyèrent de larmes, des larmes de bonheur, je crois, puis il se leva péniblement et vint jusqu'à moi. Ses mains tremblaient alors que son souffle se faisait plus court.

— Ce poème est d'une incroyable beauté, il est temps que je te révèle le secret ma petite fille, me dit-il épuisé, le secret le plus extraordinaire qu'un homme ait jamais eu à garder, un secret qui m'a été confié par mon père, le grand poète. Un secret qui remonte à la nuit des temps.

À cet instant, il fut pris d'un malaise, son teint devint livide et je le vis s'effondrer sous mes yeux. Il n'eut pas le temps de me confier son secret. Dans un ultime effort, il tendit la main vers sa bibliothèque, juste avant de mourir. Plusieurs années après le drame, j'entrepris de comprendre ce qu'il avait voulu me dire en me montrant la bibliothèque. Dans son bureau il régnait toujours une odeur de tabac des Antilles. J'ai alors cherché dans la bibliothèque sans trouver la moindre trace d'un mot ou d'un livre qui aurait pu avoir une importance capitale. J'ai lu tous les livres, j'en ai traduit des dizaines, en vain, mais je gardais à chaque fois un plaisir profond à lire ces histoires merveilleuses. Toutes ces histoires m'ont fait rêver, j'ai pu grandir dans un monde merveilleux, grâce à lui. Mais cette joie de vivre ne me donnait pas le secret que je cherchais. Jusqu'au jour où… »

Un bruit de pas s'invita à l'instant où Mrs Kennington allait révéler son secret. D'un geste furtif, les deux femmes remirent aussitôt leur capuche.

— Quel misérable endroit. Spencer ! Spencer ! Répondez ! Vous êtes là ? se lamenta la silhouette.

Nul doute que Harry revenait à la pergola sans avoir retrouvé Spencer qui l'avait devancé. Lorsqu'il découvrit Mrs Kennington et sa nièce bien cachées dans leur robe de bure, assises sur le banc, il était bien trop tard pour faire demi-tour.

— Bonjour, fit-elle dès qu'il fut à leur hauteur, j'ai apporté une estampe.

— Elle est ravissante, marmonna Harry, la tête enfouie dans sa capuche.

Puis, dans un moment de révolte, Harry s'exclama :

— Qui allons-nous juger, ce soir ?

— Comment ? fit Mrs Kennington étonnée, nous ne jugeons personne. Je ne comprends pas, ajouta-t-elle en se levant, qui êtes-vous ?

D'un geste rapide et précis, elle se précipita sur Harry pour lui ôter sa capuche.

— Ciel, Harry Cunningham ! Que faites-vous ici ? s'écria-t-elle en découvrant son visage.

— Mrs Kennington ! Vous ici ! Vous avez encore perdu votre lettre ? ajouta-t-il avec beaucoup de repartie.

— Et vous, vos esprits ?

— Non, je cherche des champignons, dit-il d'un ton froid, il paraît qu'il y en a beaucoup dans ce jardin. Et vous, que faites-vous ?

— C'est drôle, nous cherchions également des champignons. Et quelles espèces de champignons cherchez-vous ? dit-elle le menton un peu haut.

— Des vénéneux, c'est pour offrir. En avez-vous déjà cueilli ?

— Malheureusement non, répondit Mrs Kennington, je crains que le milieu de la nuit ne soit pas le moment le plus propice pour faire la cueillette des champignons.

— Je partage votre avis, répondit Harry qui remplissait le vide de ses réponses par des mouvements circulaires de sa robe de bure.

— Sérieusement, ne croyez-vous pas que vous devriez plutôt nous dire la vraie raison qui vous a amené dans ce jardin ? demanda Mrs Kennington.

— C'est la question que j'étais en train de me poser.

— Le milieu de la nuit est l'heure idéale pour dire la vérité à une femme, vous ne pensez pas ?

— Je ne peux pas vous dire, à cette heure-là, je parle rarement de choses ennuyeuses.

— Essayez, nous verrons bien.

— Soit. Mais je crains que vous ne soyez déçues. Eh bien, voilà, Spencer et moi avons découvert un passage secret derrière la bibliothèque bleue de son bureau et nous avons voulu savoir où il pouvait bien conduire, voilà tout. Ensuite, nous nous sommes égarés malgré le plan que j'avais trouvé dans un coffre caché dans le salon Mauve du Savoy Hotel et nous sommes parvenus jusqu'à cette pergola.

— Vous m'étonnez beaucoup.

— Ah bon ! Vous ne trouvez pas cette histoire ennuyeuse ?

— Non ! Ce qui m'étonne, c'est que vous soyez, vous et Spencer étrangers à tout cela.

— Je vous assure comme sept et sept font, attendez... enfin, j'ai demandé à Spencer s'il voulait bien me suivre dans cette aventure périlleuse et sur mon insistance nous avons pris le passage secret, voilà comment nous sommes arrivés ici.

— Et où est-il ? demanda Mrs Kennington en regardant autour d'elle.

— Il m'a laissé seul, je crois que la peur l'a fait fuir dans l'obscurité de la nuit ajouta Harry en se raclant la gorge.

— Alors nous sommes plongés dans la même aventure. Nous sommes ici, ma nièce et moi, parce qu'il y a un an, j'ai trouvé un passage secret dans la bibliothèque de mon père. Je me plais ici, mais je n'ai aucune idée de celui qui organise toutes ces rencontres sur l'art et la beauté. Vous avez une idée, Monsieur Cunningham…

— Appelez-moi Harry, sinon je vais finir par vous prendre pour un huissier de justice. Vous n'êtes pas huissier, j'espère ?

— Oh non ! Mais je les fréquente parfois.

— Chacun ses goûts, personne n'est parfait ! murmura Harry.

— Je vis aussi au-dessus de mes moyens, c'est pour cela qu'ils s'invitent souvent.

— Pourtant, à vous entendre la dernière fois chez Spencer je croyais que vous étiez une femme raisonnable.

— Si c'est pour me dire des choses désagréables, je crains que nous n'ayons plus rien à nous dire.

— Ne vous fâchez pas, je n'ai jamais vraiment su parler aux femmes.

— Je vois. Auriez-vous toutefois une idée intéressante au sujet de tous ces jardins ?

— Non, à cette heure-ci, je crains de n'avoir aucune réponse intelligente à vous proposer.

— Tant pis ! Faites comme vous avez l'habitude.

— Je n'ai que fort peu d'expérience dans le domaine des réponses, surtout les réponses intelligentes, elles coupent trop souvent la conversation au moment où l'on voudrait qu'elle se prolonge, Mrs Kennington.

— Vous voyez Harry, une réponse intelligente serait pourtant bien à propos, je crois que nous avons de la visite. Vous devriez quand même vous entraîner un peu, ajouta-t-elle à voix basse.

— Cachons-nous derrière la haie, murmura Harry. Avec qui voulez-vous que je m'entraîne ? Personne de sensé ne s'intéresse aux réponses, de nos jours.

— Silence, Harry, remettons nos capuches, ils arrivent.

Un mystérieux pèlerin s'approcha de la pergola avec sa capuche sur la tête.

— Ne claquez plus des dents, Harry, c'est moi, Spencer dit-il d'une voix forte. Si vous êtes encore vivant, poussez un petit grognement bestial, je saurai que c'est vous.

À cet instant Harry surgit de l'ombre en enlevant sa capuche.

— Spencer ! Où étiez-vous donc passé ?

— Vous m'avez fait peur Harry, avec toutes ces ombres vous ressemblez un peu à un phacochère amoureux.

— Le phacochère vous dit que non seulement il n'a pas été tué, mais qu'en plus, il était en très charmante compagnie pendant votre absence.

— Auriez-vous sympathisé avec vos propres assassins ? Voilà une attitude bien légère, très cher Harry ! Vous voilà désormais complice d'une tentative de meurtre ! Un jour, votre comportement vous perdra !

— Nous nous sommes déjà perdus et en attendant, je suis toujours bien vivant.

— Serait-il déplacé de vous demander de me présenter vos complices ?

Mrs Kennington sortit de l'ombre, ses longs cheveux couchés sur les épaules.

— Je crois que nous nous connaissons, dit Mrs Kennington.

— Mes hommages du soir, Mrs Kennington, et je parie que votre nièce ne doit pas être loin, ajouta Spencer avec un certain aplomb.

— Comment avez-vous deviné ? dit-elle en faisant signe à sa nièce de la rejoindre.

— Une intuition, Mrs Kennington. Puis il se tourna vers la jeune femme :

— Bonsoir, Mademoiselle, dit-il avec plaisir, vous êtes encore plus ravissante que dans le….

— Vous voyez Spencer, interrompit Harry, Mrs Kennington et sa nièce se trouvent ici un peu pour les mêmes raisons…

— Je sais, dit Spencer, votre lettre était aussi aiguisée qu'un rasoir. J'avoue que je ne m'en suis pas douté.

— Pourtant, vous êtes bien placé pour le savoir.

— Exact, fit Spencer un sourire étrange au coin de ses lèvres. Mais, j'ai été pris de court.

— Désolé de vous interrompre, coupa Harry, mais j'ai la fâcheuse impression de ne pas tout saisir, même si j'ai bien compris que vous n'étiez plus amoureux d'une inconnue, Spencer.

— Vous avez raison, Harry, je suis amoureux de la Poésie.

— Si ma Tati était ici, elle nous montrerait ce qu'il faut faire.

— Mais pourquoi ne lui avez-vous pas dit de venir ? demanda Mrs Kennington.

— La malheureuse s'est noyée l'année dernière en apprenant à nager aux enfants de la King's Cross Chapel.

— C'est triste, Harry, vous ne pouvez donc plus compter sur elle.

— Eh non. Pourtant si elle était là, elle pourrait nous citer tous les noms des pèlerins, j'en suis sûr.

— Je peux déjà vous dire qu'il y a le colonel…

— Le colonel ! répéta Harry.

— Lady Oxblow…

— Lady Oxblow ! Vous entendez, Spencer ? reprit Harry interloqué.

— J'entends, dit Spencer presque indifférent, puis il ajouta à voix très basse : mais c'est Andrew que j'aimerais voir...

— Nous nous sommes rencontrés dans le jardin d'automne, précisa Mrs Kennington. Il y a bien d'autres membres, mais je ne les connais pas et surtout, je n'arrive pas à comprendre qui a créé cet univers merveilleux. Ces magnifiques jardins sont impossibles à voir depuis les boulevards.

Soudain, un cri retentit dans la nuit. Il venait des profondeurs obscures d'une allée de buis.

— Cette voix ne m'est pas inconnue, dit Harry très pensif avant d'ajouter : ce n'est pas le livreur de charbon… pas le couturier… pas l'huissier non plus. C'est étrange, ces lamentations me rappellent une partie de chasse aux mouflons.

Devant eux, rampant comme une limace épuisée, un être apparut, gémissant et blessé.

XVIII

Andrew se traînait dans l'allée en gémissant des mélopées que des Bouriates auraient pu prendre pour un air à la mode. Il y avait de la narine enchifrenée, du ventre ballonné et de la gorge enrouée, qui faisaient de ses lamentations apparemment sans aucun intérêt artistique de véritables chuintements en canon avec, sur le contretemps, des soupirs étouffés de toute beauté.

Malheureusement pour Andrew, Harry et Spencer n'étaient pas Bouriates, ce qui ramena très vite les esprits à des considérations médicales bien à l'opposé de la musique si subtile des nomades des steppes d'Asie Centrale.

— Eh bien, Andrew, dit Harry en le tirant vers la pergola, vous allez nous expliquer ce que vous faites à cette heure-ci allongé dans ce jardin ? Et ne nous dites pas que vous êtes un mouflon en train de chercher des champignons avec votre mufle, nous savons qu'il n'y en a pas.

— Comportez-vous comme un gentleman, dit Spencer.

— De toute façon, même si c'était un mouflon nous ne pourrions rien pour lui, nous ne sommes même pas armés.

Les yeux d'Andrew firent briller un éclair d'épouvante à l'adresse de Harry, mais fort heureusement, la douleur à la jambe lui fit retrouver ses esprits.

— Alors, Andrew, demanda Spencer, que faites-vous ici ?

— C'est que… au niveau de ma jambe… j'ai comme une douleur qui me fait souffrir…

Harry avait remarqué le changement : le majordome ne parlait plus de lui à la troisième personne, mais à la première.

— C'est intéressant ! Et comment *va-t-il* à sa jambe, *il* a très mal, n'est-ce pas ?

— Qui ça ? demanda péniblement Andrew.

— *Lui* ! fit Harry en montrant du doigt Andrew.

— Ah, vous parlez de *lui* ! Eh bien, j'ai voulu…enfin, *il* a pris le serpent qui dormait dans le vivarium.

— Ne me dites pas que vous avez touché au serpent du vivarium, c'est une vipera cornu, elle peut tuer un cheval ! fit Harry interloqué.

— Je voulais, enfin... *il* voulait jouer avec *elle*, enfin... avec *lui*, enfin le serpent, *il*... enfin... *elle*, la vipère avait l'air tellement triste.

— Je ne comprends rien, dit Spencer.

— Il ...enfin elle, son histoire, me donne mal à la tête, chuchota Harry qui n'avait pas plus compris.

— Pour résumer, dit Spencer, vous avez joué avec le serpent et...

— Eh bien, répondit Andrew toujours allongé sur les gravillons, vous ne me croirez jamais, parfois la réalité dépasse le rêve...

— Vous aussi vous avez constaté ce prodige ! s'exclama Harry. Allez ! Andrew, ne faites pas de manière, dites-nous tout.

— Je ne savais pas que vous étiez déjà au courant !

— Eh si, répondit Spencer.

— Eh bien, voilà, poursuivit Andrew, il s'est mis à agiter une clochette, au bout de sa queue ! Je n'avais... enfin... *il* n'avait jamais imaginé qu'un serpent pouvait avoir une cloche pour le thé. C'est incroyable, et pourtant c'est tellement vrai ! Un serpent à sonnette !

Harry et Spencer se regardèrent avec stupeur.

— Je ne savais pas, enfin... *il* ne savait pas qu'un serpent pouvait boire du thé, c'est incroyable, dit une nouvelle fois Andrew. *Il* a voulu la prendre, mais elle m'a glissé... enfin, elle *lui* a glissé entre les pansements et elle est tombée sur l'Afsharys du salon, ce magnifique tapis aux couleurs de jaspe et d'héliodore aux fusarolles orangées qui bercent le tigre d'une douceur mélancolique. Puis elle s'est faufilée entre les pattes du fauve pour revenir dans votre bureau toujours en sonnant la cloche, comme une folle derrière, et en montrant ses terribles crochets devant. D'ailleurs, j'ai connu un client du Savoy qui faisait un peu pareil.

Harry releva machinalement sa lèvre supérieure, mais Andrew ne lui laissa pas le temps de brandir sa clochette :

— Enfin, quand je fus..., *il* fut à un coup de livre d'elle, elle disparut derrière votre vieille bibliothèque bleue.

— Alors ! demanda Spencer.

— J'ai... enfin *il* a tiré la bibliothèque bleue vers moi... enfin vers *lui*.

— J'ai du mal à suivre, murmura Harry en se tenant la tête.

— Continuez Andrew, demanda Spencer intéressé par la suite.

— *Il* a découvert un passage secret. *Il* s'est perdu dans ce jardin... ma jambe... ma jambe me fait mal... je suis tombé... enfin *il* est tombé d'un pêcher dans lequel je m'étais réfugié pour échapper au monstre. Je... *il* lui a envoyé plusieurs pommes, puis elle s'est sauvée.

Harry et Spencer esquissèrent chacun un sourire pour avoir cru un instant qu'Andrew pouvait en savoir beaucoup plus sur ce jardin. Ils pensèrent tous les deux que son explication pouvait très bien lui servir de lettre de recommandation pour l'Institut des fous de Broadmoor même s'il n'avait jamais été professeur de mathématiques. Mais lorsqu'ils l'épaulèrent pour l'aider à rejoindre le banc de la pergola, un détail qui leur avait échappé fit à nouveau plonger leur certitude en soupçon à charge.

— Andrew, dit gravement Spencer.

— Oui, Monsieur.

— Vous ne nous avez pas tout dit.

— Je crois que si.

— Je crois que non, fit Spencer sur un ton ferme.

Le regard d'Andrew s'échoua sur sa robe de bure qui achevait sa trahison. Il releva le front qui désormais arborait un regard profond et humain. Il sonda celui de Harry et de Spencer. Il sembla qu'il jaugea puis jugea. Alors qu'un léger papillonnement de ses cils confirma son abandon, le majordome imposa une rectitude à son dos qui apparut très vite comme le prologue à celle de son esprit.

— Eh bien, Messieurs, le moment est venu de vous dire la vérité même si vous vous en doutez, fit-il en dévisageant Spencer.

À cet instant Harry se sentit seul, et si le ton et l'expression du majordome avaient changé, Harry ne comprenait pas plus le sens de ses paroles.

Andrew fouilla dans une de ses grandes poches et en sortit un livre qu'il semblait tenir avec une grande attention.

— Je vous rends le livre que je vous ai emprunté, Monsieur Byron Westwood. J'espère que vous ne m'en voudrez pas. Sans lui, je n'aurais jamais trouvé et surtout je n'y aurais jamais cru. Nous nous reverrons peut-être, le devoir m'appelle. Adieu, Messieurs.

Harry vit dans le regard de Spencer une larme qui eut la politesse d'attendre le départ d'Andrew pour couler sur sa joue, une larme de fierté et d'honneur. Harry ne comprit pas plus, mais Spencer, lui, comprenait.

Andrew disparut dans l'obscurité en faisant un petit geste d'amitié, la capuche sur la tête. Spencer ouvrit le livre relié de cuir rouge qu'Andrew venait de lui rendre puis il le caressa avec un immense bonheur.

Un bruissement de feuilles derrière l'allée de buis ramena les songes de Spencer dans le jardin si fantastique. Harry n'eut pas le temps d'en savoir plus, car deux ombres s'approchaient d'un pas lourd. Il remit aussitôt sa capuche, mais une voix qu'il connaissait bien le rassura aussitôt :

– Spencer ! Harry ! N'ayez crainte, c'est nous ! Je suis avec Lady Oxblow.

– Alors, colonel, on se promène ? demanda ironique Spencer, puis il ajouta, mes hommages de la nuit, Lady Oxblow.

– Ah, Spencer ! Comme je suis heureuse de vous voir, nous désespérions de vous rencontrer un jour, je veux dire...une nuit.

– J'ai eu un contretemps fâcheux, mais j'ai retrouvé ce que j'avais perdu, dit-il très ému.

– Parfait, dit Lady Oxblow.

– Avec vous, Lady Oxblow, je me sens moins seul, ajouta Harry.

– C'est très aimable. Mais dites-moi, Spencer, demanda Lady Oxblow, vous connaissez celui ou ceux qui organisent ces rencontres, je suppose, nous cherchons depuis si longtemps ?

– C'est la première fois que je viens, dit-il un sourire énigmatique à la bouche.

Comme Lady Oxblow prit cet aveu pour un mensonge, il ajouta :

– Disons que c'est *vraiment* la première fois que je viens, mais je connais bien les lieux.

Le mot « vraiment » sonna étrangement, mais Lady Oxblow et le colonel semblèrent satisfaits de la réponse. Désormais Spencer et Harry étaient à leur place, c'était bien le plus important. Lady Oxblow et le colonel les saluèrent avec beaucoup de respect avant de se rendre au jardin de printemps où ils étaient attendus.

Lorsqu'ils furent à nouveau seuls, Harry ne put s'empêcher de demander à Spencer :

— Vous pouvez me dire deux mots pour que je comprenne.

— Maintenant, je peux tout vous dire, dit-il la main blottie dans sa poche. Mais rentrons d'abord à Paddington, je ne parlerai qu'en présence de mon Bradley.

— Bonne idée, Spencer, je meurs d'envie de comprendre.

Comme Harry parvint à dissuader Spencer de reprendre le tunnel, les très rares Londoniens qui eurent la chance de passer du côté de Paddington Street à cette heure très avancée de la nuit auraient pu jurer devant la Police avoir aperçu deux moines sur les trottoirs. Mais fort heureusement, le lendemain, les seuls témoins qui sortirent péniblement du Fahrenheit Fever Pub, furent persuadés qu'ils avaient bu une pinte de trop, car aucune déposition embarrassante ne fut consignée au Central de Police.

Harry raviva le feu qui s'était assoupi pour réchauffer ses os glacés par le vent du Nord. Spencer s'assit confortablement dans sa bergère et tira une formidable bouffée sur son cigare, et très vite Harry le questionna :

— Comment avez-vous deviné qu'il y avait des jardins au bout du tunnel ?

— Eh bien, pour être franc Harry, je n'ai rien deviné. Quand vous êtes venu au Savoy hier pour m'annoncer le décès de Lord Oxblow, je me suis douté qu'il se passerait des choses étranges, mais ce n'est pas vraiment facile à expliquer. Vous vous souvenez, le livre que je lisais lorsque que vous avez surgi comme un fauve dans le salon Mauve...

— Oui... eh alors, je ne vois pas où vous voulez en venir...

— Patience, Harry, vous feriez bien de vous asseoir.

— Je sens que vous allez me chanter une chanson.

— Oh, si ce n'était qu'une drôle de chanson !

— Allez, Spencer, expliquez-moi comment vous avez fait pour deviner la présence de ces jardins et de ces moines adeptes de la beauté ; je trouve que vous avez mis votre intuition à rude épreuve depuis deux jours.

— Eh bien, voilà. En relisant les premières pages, je n'ai pas tout de suite compris, il m'a fallu un peu de temps pour que je me rende compte de l'aventure extraordinaire dans laquelle nous étions plongés. L'histoire se déroule à Londres, en plein hiver. Un type avec un pantalon bouffant de couleur rouge se précipite voir un ami qui se trouve dans son salon favori et, lorsqu'il entre dans le salon, il est en train de lire…

Spencer fit une pause pour mesurer dans le regard de Harry s'il pouvait anticiper l'incroyable suite des événements. Il scrutait son œil avec prudence, car il savait que les esprits les plus fins se passent souvent d'explications et toujours de démonstrations. Spencer avait vu juste.

— Continuez, Spencer, susurra Harry qui avait deviné la suite.

— C'est donc l'histoire d'un type génial qui fume un Bradley dans le salon d'un hôtel. Il est en train de lire le passage sur la mort d'un vieux comte, un certain Oxblow, lorsque son ami lui apprend la mort de Lord Oxblow. Vous saisissez Harry ?

— Vous voulez dire que le livre reprend ce qui s'est passé ?

— Pour être clair, très cher Harry, le roman reprend exactement, je veux dire, mot pour mot, ce que nous avons vécu depuis presque deux jours.

Harry resta immobile, le souffle coupé, il avait compris sans que les dernières traces de raison qu'il gardait encore dans son esprit ne puissent admettre ce prodige.

— Vous voulez dire que la visite de l'inconnu dans le salon, Andrew avec la machette, les mystérieux visiteurs, les couleurs, les jardins… tout cela est écrit dans le livre ?

Chaque parole assénait de terribles coups dans son esprit, car même si les propos de Spencer ne pouvaient être qu'irrationnels, ils expliquaient tous les événements étranges qui s'étaient déroulés depuis deux jours. Devant le visage d'incompréhension de Harry, Spencer coupa le silence avec un sourire aux lèvres :

— Je n'ai pas voulu vous avertir, car il fallait aller jusqu'au bout sans tarder et surtout ne rien faire pour arrêter ce phénomène, le doute nous aurait été fatal et je suis sûr que vous ne m'auriez pas cru. Je voulais avoir la preuve de l'existence de l'autre monde et surtout je voulais le visiter et m'y perdre. Vous vous souvenez, Harry, lorsque nous étions dans mon salon après que Lady Oxblow et le colonel furent partis, je vous ai invité à me faire part de vos sentiments.

— Oui, bien sûr. Vous saviez déjà tout, Spencer ?

— Pas tout à fait, à vrai dire, car un événement imprévu m'a pris de court. Je ne m'attendais pas à recevoir une lettre, ou plutôt pas celle que j'ai reçue. Andrew avait déjà le livre, car grâce à votre observation pendant que je jouais du piano, j'ai déduit qu'il avait dérobé l'exemplaire de la bibliothèque bleue, peu de temps avant. Il n'était plus ni sur mon secrétaire ni à sa place. C'est ce qui explique pourquoi le colonel et Lady Oxblow le cherchaient aussi... mais c'est Andrew qui l'a trouvé le premier. Dès lors, je ne pouvais plus être sûr de la suite des événements, car seul celui qui possède le livre peut savoir. Je connaissais l'histoire, mais ce n'était plus suffisant, il me manquait le plus important : le livre lui-même.

— Bien sûr ! répondit machinalement Harry qui avait compris sans vraiment comprendre. Et la partition ? ajouta-t-il perplexe.

— J'ai attendu que quelqu'un nous la remette, comme c'était écrit. Chaque fois que j'ouvrais ce livre, les événements que nous venions de vivre se trouvaient très précisément notés : chaque mot, chaque parole, jusqu'au moment où le livre a disparu, bien sûr. C'est alors que j'ai perdu le contrôle de l'histoire. Andrew a même pris l'exemplaire dans la bibliothèque du salon Mauve.

— C'est impossible, Spencer ! Impossible ! Je vous ai bien écouté, mais vraiment, je ne peux pas croire à une telle histoire, dit-il les traits convulsés par l'inimaginable. Allez dire ces sottises à des professeurs de mathématiques, ou même à des gens dotés d'un peu d'intelligence, mais pas à moi ! Si je prononce des paroles, elles ne peuvent pas être transcrites dans le livre, c'est impossible !

— Eh si, Harry ! dit Spencer sur ton très solennel.

Un tourbillon de pensées et de désespoir assaillit Harry qui ne parvenait pas à accepter ce prodige.

— Alors si je dis par exemple... « Andrew, je vais prendre ma Perdey Moore et Dickson et je vais chasser tous les mouflons de Londres en vous mettant des artichauts pourris dans les oreilles avec de la fiente d'albatros et du fromage de chèvre... » Eh bien, Spencer ! Où sont ces mots ? dit-il en gonflant sa robe de bure dont il n'arrivait plus à se séparer.

Avec beaucoup de précautions, Spencer prit le livre qu'Andrew lui avait rendu.

— Là, regardez ! dit-il en ouvrant le livre : « Andrew, je vais prendre ma Perdey Moore et Dickson et je vais chasser tous les mouflons de Londres en vous mettant des artichauts pourris dans les oreilles avec de la fiente d'albatros et du fromage de chèvre... »

La conscience de Harry chancela un instant. Devant ses yeux qui dardaient des éclairs de stupeur, les mots qu'ils venaient de prononcer étaient parfaitement lisibles, écrits noir sur blanc. Il répétait :

— « Dans les oreilles avec de la fiente d'albatros dans les oreilles », c'est écrit ! Et si je dis « Andrew ! Andrew ! Andrew ! Le ragoût d'Archibald Vence est trop près de l'hellébore du cochon rose ». Ne me dites pas que c'est écrit, ça ne veut strictement rien dire. Personne ne peut écrire une chose pareille.

À peine eut-il terminé sa phrase que Spencer lui montrait le passage du livre qui reprenait exactement ses mots.

— Je crois que je vais devenir fou, lança Harry les yeux luisants de vérité.

— Surtout pas, Harry ! Nous sommes entrés dans le roman, voilà tout, mais nous sommes bien vivants et tout à fait lucides. Et le roman existe bien, tenez, prenez-le, il est bien dans votre main maintenant ? Ce n'est pas un rêve ! Nous sommes dans le roman, Harry ! Comprenez-vous ? Ce que je vous dis est écrit, regardez, je n'invente rien.

Spencer lui montrait les passages qu'il venait de dire. Harry désabusé dit lentement :

— Allez, Spencer, dites-moi ce que nous allons faire, puisque tout est écrit.

— Eh bien, justement la phrase que vous venez de dire est là, vous voyez « dites-moi-ce-que-nous-allons-faire, puisque-tout-est-écrit ». C'est même écrit deux fois puisque je viens de redire la phrase et avec des tirets pour montrer que j'ai bien articulé.

Harry se tut, comme une momie. Il se redressa lentement, englouti dans des songes, mais il trouva la force d'en savoir plus :

— Alors, quand je suis passé au salon Mauve, vous avez fait semblant d'ignorer la mort de Lord Oxblow, pourtant vous saviez, bien sûr ?

— Je savais Harry, mais vous ne pouviez pas encore comprendre, n'est-ce pas ?

— Alors, comment finit l'histoire, puisque vous êtes si fort ? Je vois que nous sommes presque à la fin, dit Harry en renonçant définitivement à chercher une explication.

— Je crois qu'il vaut mieux fermer le livre.

— Il me tarde de retrouver mes cahiers, le Lippincott's attend « *Les cadavres de Mummy Suzette seront privés de goûter* », dit Harry vraiment dérouté. Mais au fait, quel est le titre du roman ?

— *Les mystères de Paddington street.*

— C'est logique, se risqua à dire Harry. Et qui est l'auteur ?

— Frédéric Bessat, mais je crois que c'est un pseudonyme, répondit Spencer en allant replacer le livre dans la bibliothèque bleue. Il vit à Londres paraît-il. Maintenant, je vais aller me coucher, il est vraiment très tard ! Vous devriez aller écrire, la nuit ne sera pas si longue !

— Alors là, Spencer, je vous suis et tout de suite.

À peine avait-il dit ces mots qu'il retint le bras de Spencer :

— Mais ce que vous venez de dire, à l'instant, c'est dans *Les mystères de Paddington street* ?

— Réfléchissez un instant, Harry, gloussa Spencer en haussant les épaules, comment pourrais-je dire une phrase qui ne soit pas dans *Les mystères de Paddington street* ?

— Désolé, Spencer, mais cette histoire m'a tellement bouleversé et je dois être fatigué. En tout cas, je peux vous garantir que je m'en servirai pour mon prochain roman même si je suis certain que personne ne croira que c'est une histoire vraie, la réalité dépasse encore une fois la fiction.

— Eh oui ! Nous n'avons rien inventé, dit Spencer.

— Vous avez raison, vous avez toujours raison, même quand vous dites des mensonges, c'est terrible, n'est-ce pas ?

Spencer se tut, car il considéra que Harry venait de lui faire le plus beau des compliments. Harry se leva pour aller fermer les rideaux. Devant lui, un convoi funèbre formé de quatre immenses corbillards attelés de Cobs à la crinière de feu longeait le boulevard au pas. Il pensa qu'il était bien tard pour un convoi funèbre puis il se retourna et ajouta à mi-voix :

— Ça aussi, c'est écrit ?

— Quoi ?

— Eh bien, ce que je viens de penser et ce que je viens de dire, là, tout de suite ?

— Évidemment ! dit Spencer qui s'était fait à l'idée de vivre dans un roman. Vous pouvez vérifier si vous le voulez, ajouta-t-il, le roman est à sa place, dans la bibliothèque bleue.

Harry poussa la porte du bureau, ouvrit les portes grillagées de la bibliothèque bleue et se saisit de l'ouvrage avec recueillement et un zeste de crainte. Encore une fois, ce qu'il avait vu, pensé et dit se trouvait dans *Les mystères de Paddington street.*

Spencer finissait de préparer le feu pour la nuit quand Harry fut sur le point de rejoindre ses appartements. Tous deux silencieux, leurs pensées voyageaient à l'infini sans jamais quitter leurs rêves d'enfant.

Torturé par le doute, Harry murmura :

— *Archibald Vence, tu n'es qu'un rat d'égout boiteux infesté de remugles fétides, Ghoum abscons, Afsharys abstrus, torve, Whist viridin, limaces, canetilles, grouih, crunch, crunch, goliponi, mieja et ulo riteta, rititi, et cousi nu...*

Il redressa la tête, un sourire aux lèvres, en pensant au plus profond de lui-même qu'on ne lui ferait jamais croire que ces stupidités pouvaient être écrites dans le roman, ni dans aucun roman, d'ailleurs. Personne ne pourrait jamais écrire de telles absurdités.

Harry se trompait, bien évidemment, tout était écrit. Il eut un pas hésitant puis s'arrêta, une pensée le tiraillait encore :

— Mais alors, Spencer, si l'auteur avait écrit que je devais vous étrangler dans le tunnel, vous seriez mort à cette heure-ci ?

Spencer ne détourna pas le regard du feu, mais il répondit sur un ton étrange, très étrange...

— Je pense que l'auteur des *Mystères de Paddington street* n'aurait jamais écrit une chose pareille...

Un étrange sourire ironique et plein de jouissance éclaira la bouche de Spencer, comme s'il n'avait pas tout dit. Il continua à taquiner la grosse bûche, les yeux pétillants de malice. Mais ce soir-là, lorsque Harry eut rejoint ses appartements, Spencer se retira dans son bureau, son livre bien serré contre son cœur. Et comme tous les soirs, Spencer s'installa devant son petit secrétaire pour griffonner quelques mots dans son journal intime : « *quelle belle soirée !* » Puis il prit son tampon qu'il utilisait pour signer de son nom d'artiste. En bas de la page, dans un carré bordé d'arabesques, apparut sa signature toute satinée par la fraîcheur de l'encre : F R E D E R I C - B E S S A T.

Il était tout juste deux heures du matin par cette nuit froide et mystérieuse au 14 Paddington Street.

XIX

Le lendemain Spencer se leva tard dans la matinée. Prostré au-dessus de sa tasse de thé qui miroitait son visage défait par une nuit sans sommeil, Spencer songeait. La sagesse de la nuit avait imposé la terrible vérité : son livre ne pesait pas lourd, c'était bien Andrew le maître du destin, faisant et défaisant le monde à sa guise, manipulant les esprits et les corps, tantôt prenant le livre tantôt l'abandonnant, se jouant des femmes et des hommes.

En tournant sa cuiller en argent de chez Hemings dans sa tasse de thé, son visage disparaissait dans les spirales enfumées. On entendit la porte d'entrée claquer. Harry surgit dans la pièce, revigoré par la froideur du matin et la certitude d'avoir eu raison. L'énergie de Harry se heurta à l'apathie de Spencer, tout avachi sur sa tasse de thé, orchestrant de sa cuiller l'évaporation de son visage désormais sans tain.

— Alors, Spencer ! Vous ne devinerez jamais !

La voix de Harry était haute et enjouée, donc désagréable. Il jeta son manteau sur la bergère avec rapidité et fit un aller-retour aussi vif qu'un bélier en cage.

— Moins fort, Harry, murmura Spencer ! Par pitié, parlez moins fort ! Mes oreilles me font mal !

En se penchant vers son ami, Harry chuchota à voix basse :

— Vos oreilles ont souffert, mais vos yeux vont crier famine ! Attendez de voir la suite, vous allez être surpris !

Harry se dit in petto qu'il allait savourer un instant exquis. Il jeta sur le guéridon garni de pain grillé et de confitures un journal entrouvert, puis il ajouta :

— Regardez ! Regardez ! En deuxième page, à côté de l'article sur la conférence de Sir Richardson sur les saignées, lisez ! Lisez !

L'agitation de Harry finit d'achever le petit déjeuner de Spencer juste avant le bacon. Sur un ton grave de reproche, Spencer mâcha ses mots :

– La marmelade, Harry !

– Quoi ? La marmelade ?

– Le Telegraph dans la marmelade ! La page six trempe dans la marmelade !

Harry se rapprocha du guéridon, en profita pour engloutir un petit scone au passage puis se pencha sur le journal.

– Mais pas du tout ! C'est la page sept qui lèche la marmelade, c'est pas la six... à la rigueur la huit, mais... à votre décharge, on ne voit pas très bien.

– Vous savez combien je déteste voir les salmigondis de journalistes salir ma marmelade !

Feignant d'ignorer la remarque de Spencer, Harry déplia le journal et pointa de son index une photo de grande taille. Le coin enmarmeladé de la page sept pendait comme une langue molle de fatigue.

– C'est qui, Spencer, en photo, là ?

Spencer tourna la tête sans conviction, sa chevelure dévastée annonçait le pire, mais à la vue du portrait, il se saisit brutalement du journal.

Sous trois colonnes, la photo d'Andrew apparaissait cinglante. Sur un torse rigide, son visage se détachait avec âpreté. Les traits figés du majordome découpaient le cliché en surfaces géométriques. En lettres visibles jusqu'à au moins six bons pieds on pouvait lire : « *le cerveau évite encore de peu Scotland Yard* ».

Spencer dévora l'article où il était question de la fuite du « Cerveau » à New-York. Harry, la bouche pleine de myrtilles ne put s'empêcher de déclamer :

– Alors, Spencer ! Qui avait raison ? Je vous le demande très cher ami ? Qui avait raison ?

Son pantalon faseya en guise de victoire, puis il ajouta :

– J'ai tout de suite vu qu'Andrew n'était ni mouflon ni majordome. Il s'est bien caché qu'il avait la Police aux trousses ! Quand je pense que j'étais à deux doigts de rafraîchir le minois du « cerveau », et à la galloise ! Dit-il en exhibant ses poings comme des trophées.

Harry occupait tout l'espace. Fort de sa lucidité triomphale, il s'autorisa à fouiller les affaires dispersées çà et là. Le couvercle d'un canope étrusque et une photographie encadrée n'y échappèrent pas. Il avait essuyé des défaites à l'envi pour ne pas apprécier cette victoire. Soudain, il remarqua qu'il tenait dans les mains l'affiche du prochain récital de Spencer.

– Vous êtes prêt pour le concerto, Spencer ? Et où allez-vous jouer ?

En disant ses mots, les yeux de Harry s'immobilisèrent sur le bas de l'affiche. En larges lettres noires, « New-York » et « Boston » apparurent.

Leurs regards se croisèrent en silence.

– Non ! Spencer ! Vous n'allez pas profiter de votre récital à New...

Harry n'eut pas le temps de terminer sa phrase, il comprit qu'une fois encore Spencer n'avait pas hésité un seul instant. Trop agacé par les expéditions nocturnes et autres concours stupides, le chevau-léger qui sommeillait en lui se cabra :

– Vous allez finir comme une baudroie à Gettysburg, avait-il lancé à Spencer en s'époumonant. Puis, pour achever son reproche en coup de grâce, il ajouta :

– Spencer, la différence entre vous et moi c'est que je n'attache pas mon chien avec de la saucisse, moi ! Jamais ! Jamais ! Puis il sortit en claquant la porte.

Habitué par ses frasques et ses reproches, Spencer se leva sans un mot. Le silence s'imposait, car la duperie d'Andrew pesait sur sa conscience. Il s'avança vers l'âtre de la cheminée où deux grosses bûches claquetaient, puis, ses mains plongées dans les grandes poches de sa veste d'intérieur il s'avança jusqu'à la fenêtre battue par une pluie de grésils. Au travers du halo laissé par le glacis du givre, son regard se porta vers le ciel sombre. De ses lèvres serrées s'échappèrent ces quelques mots :

– Andrew ! Ne m'attendez pas, j'arrive...

FIN

Les mystères de Paddington Street
La bibliothèque Bleue

Frédéric Bessat

Roman

Dépôt légal janvier 2014
ISBN : 978-2-35962-570-7
Collection Atlantéïs
ISSN : 2265-2758

Editions Ex Aequo
6 rue des Sybilles
88370 Plombières les bains

www.editions-exaequo.fr

Imprimé en France